僕は
君の「熱」に
投資しよう

ベンチャーキャピタリストが
挑発する7日間の特別講義

ダイヤモンド社

僕は君の「熱」に投資しよう

プロローグ
君はかならず、成功する

僕のオフィスには、ひとつの机がある。

ごつごつした無垢《むく》の木でできている巨大なやつで、うかつにこの上でコピー用紙に文字を書いたりしていると、ペンが紙を突き破って木の穴にブスッと刺さってしまう。そんな荒削りなところが気に入って使っているやつだ。

ちょっと座ってくれ。

ま、僕の前に座っているような気持ちで聞いてくれ。いいか。


君はかならず、成功する。

これから僕が君に話すのは、この資本主義の世界における「究極の成功」についてだ。この机で語られることを知る前と知った後では、世界のことがまるっきり違ったように見えてくるかもしれない。

この机の前に座る登場人物はふたりいる。

投資家と起業家だ。

投資家の仕事は、世界の金《かね》を動かすこと。企業や金融機関、エンジェル投資家たちから出資を募《つの》り、それを才能ある起業家に投資するのが仕事だ。そして起業家は、この世界そのものを動かす。ＩＴや医療など、世界の常識を大きく変えて進歩させる事業をつくるのが仕事だ。

いいか、この資本主義の世界を今の姿にしているのは、いつもこのふたりの人間なんだ。投資家と起業家の対話を聞いていれば、この世界は誰が変えているのか、どのようにして変わるのか、そして成功とは何かが理解できるようになる。

彼らの仕事について、僕はよく、車をつかったたとえ話をする。

起業家は、新しい車をつくる。投資家はその車に入れるためのガソリンを調達してくるのが仕事だ。そして起業家と投資家は同じ車に乗って、新しい世界を見に行く旅に出る。

今の世界は、このふたりの旅の先にできたものなんだ。

今、君の目の前にあるこの机は、成功した起業家が何人も座っていた場所だ。彼らはいつも、君が持っているような行き場のない熱だけを持って、投資家である僕の前に現れた。

僕が起業家と言葉を交わし続けてきたこの机からは、たくさんの成功が生まれていった。たとえば大企業に自分でつくった事業を35億円で売った男も、この机の前に座っていた。最初に出会ったとき、彼は24歳だった。放っておけばニートにもなれないような若者だった。長い髪はボサボサで、こちらがちょっと語気を荒《あら》らげて話すとおどおどして、まるで人とうまく話せない。

将来の全選択肢は「ニート、フリーター、ヒモ、フリーランス、あるいは経営者」。つまりは、逆立ちしても「普通の会社員」なんかにはなれないような男だった。彼はその中から消去法で経営者を選び、起業を決意した。

最初は会議室もないオフィスで、新入社員の面接の仕方もわからなかった彼が成功し、本物の経営者として成長してゆく姿を近くで見ていたとき、僕は、これこそが自分の生きがいだと何度も思ったものだ。

もちろん良いことばかりは起こらない。死にそうな顔でこの机に現れた起業家も少なくない。むしろそっちのほうが多いくらいだ。事業がうまく進まず、資金が枯渇《こかつ》しかけているのだ。聞けば飯も食っていないという。なんとか追加の投資を約束して、いっしょに近くのローソンへカップラーメンを買い出しに行った。

起業家に「お前は詐欺《さぎ》師だ」と鼻先で罵《ののし》られたこともある。さらには全国ニュースになったスキャンダルに巻き込まれ、世界中の恨みと妬《ねた》みのすべてをこの身に受けたこともある。

それでも、僕は言い続ける。

世界の誰に何を言われようと。世界がどんな危機的な状況にあろうと。

君はかならず、成功する。

僕はこの言葉を、この机に座る起業家に言い続けてきた。それが僕の「ベンチャーキャピタリスト」、つまりベンチャー向け投資家としてやってきた、もっとも大切な仕事だった。

投資家という存在について、金にモノを言わせて偉ぶっている〝嫌なやつ〟や、裏に隠れて何をやっているかよくわからない〝不気味な存在〟を想像していた人は、少しはそのイメージが変わるだろうか。

この世界を本当に前進させるようなアイデアを持って、命をかけて努力をしている起業家たちに、真に正しい支援をし続けること。成長した彼らが、正しい称賛を受けられるようにすること。そしていっしょに、世界をより良く変えていくこと。

投資家の仕事というのは、いわば世界の未来をつくることなんだ。

僕がこの机で若き起業家たちに話してきたことを、今から7日間かけて君に話そう。

いわば、一対一の特別講義だ。

誰にでも、過去の自分に伝えたいことってあるだろ？　たとえば、とくに目的もなく、まわりに流されて生きていた、学生時代の自分に。「時間あるうちに、英語やっとけよ」とか、「好きな人にちゃんと思いを伝えろよ」とかさ。

これから話すことは、今の僕が、まだ「何者でもない」過去の自分に伝えておきたいことを1週間分にまとめたものだと言えるかもしれない。もしくは、ベンチャーキャピタリストは世界一価値のある職業だって、まだそんな仕事が世の中にあることを知らなかった二十歳《はたち》の自分に、言い聞かせたいのかもしれない。

とにかく、若いときの自分にも言ってやりたいんだ。

君はかならず、成功する、って。

もし君が本当に成功を目指し、行動したいと思ったら、ぜひこの机まで話しに来てほしい。

議題は、君と世界の未来だ。

僕はいつでもそこで、君が来るのを待っている――。

プロローグ

プロローグ　君はかならず、成功する　14

DAY 1　熱があるなら、ぶつけようぜ　14

君はどっちのフラフラを選ぶ？　14
若さとは、暴走である　17
起業とは、夢を「見続ける」生き方　21
エアビーもウーバーも、みんな最初は「せどり」だった　25
事業とは、誰でも考えつくことを「100倍の規模」でやること　29
10年後の〝格差〟は、今の君の熱が決める　34

DAY 2　生きる場所を、選び間違えるな　40

成功の9割は「場所」で決まる　40
クリリンはなぜ地球人最強になれたのか　48
「カバン持ち」で狙うべきは高名な人の独立後　51
六本木のボロビルが、スタートアップの爆心地に　54
「バラけるな。起業家は吹けば飛ぶ」　62
僕が「米を買いに行く」理由　65
君は天才に「おはよう」を言えるか　69

DAY 3
成長しなければ、死ぬ 76

美しき「循環」 76
「頑張る」と「成長」は別 79
起業家の成長とは、事業の成長のみ 81
起業家は、天才でも「打率3割」 86
伸びない起業家は、スタートアップと名乗るな 93
誰よりも成長した男 95
起業家が経営者に成長する、上場の日 103

DAY 4
君は、人類の年表に触れたくはないか? 112

職業、ベンチャーキャピタリスト 112
確率と、独断と、偏見と 116
最難関だからこそ、挑む 120
ロマンチックに「ど・シード」を攻める 125
怪物、孫正義 130
投資家たちの「天下一武道会」 134

DAY 5
怖いけど、僕は「逃げない」 142
出資者総会で一同「あれはわからない……」 143
「キュレーションメディア」という名の発明 145
聞くことがなくて無言の面接 149
大炎上、再び持たざる者に 151
カネより、挑戦だろ? 153
人生のピーク年齢を安売りするな 157
「ご機嫌でいる」責任 158
「起業家は太陽、ベンチャーキャピタリストは月」 161
コインチェック事件 163
ベンチャーキャピタリストになるための条件 165
成長という「魔物」と、どうつき合うか? 170

DAY 6
こんにちは先生、起業しませんか? 176
愛と情熱の投資パートナー 176
アカデミアの壁を崩す 178
「それ、ダウト――――!!」 180
尿でがんを層別化する 183
社長候補は、愛こそすべて 186

僕は、天才が天才的に活躍する社会をつくりたい 189
こちら東大前、天才たちのたまり場 193
#核融合で起業しろ 195

DAY 7

圧倒的な未来を、つくろう

200
あのときの「おめでとう」 200
「てっぺん」が……見えない 204
自分が一番、挑戦している 207
履歴書からいかに過去の成功を消せるか 210
ベンチャーキャピタリストが国策をつくる 213
投資も寄付も、手段にすぎない 218
僕が高校生に30万円を渡す理由 221
日本の若いやつらは、異様に優秀 224
ベンチャーキャピタルは「与信積みゲー」 228
「舐めてるんだよ、おまえを」 232
永遠のカウンターカルチャー 237
Just for Fun 241
本当に大切なことを「1つだけ」やろう 246

DAY 1
熱があるなら、ぶつけようぜ

君はどっちのフラフラを選ぶ？

僕の会社、ＡＮＲＩ《アンリ》のオフィスは表参道《おもてさんどう》と渋谷のちょうど中間にある。駅からは少し遠い、雑居ビルが建ち並ぶエリアだ。

インスタ映えするスイーツを売りにするカフェや人気ファッションブランドショップとは縁遠い場所で、近くをウロついているのは、ランチ目当てのオフィスワーカーくらいしかいない。

ビルの１階にはサンドイッチが売りのカフェが入っているから、食事場所を探してこのあたりをフラフラしてる人がふらっと入ってきても不思議はない。でも実際に僕のオフィスにフラフラと入ってくるのは、

「１日カップラーメン１個で生きてます。今月の中旬でお金がなくなりますけど、名古屋から出てきました。今は高校を休学してアプリつくってます」

なんてやつばかりだ。

こっちは栄養が足りてなくて本当にフラフラしてるんだ。

ひょろっとしてて、どこにでもいそうな若者だけど、死んでもプロダクトつくりたいって顔をしている。

こいつの命を削《けず》ってる〝熱〟はなんだ？

ここはただのオフィスなんかじゃない。やり場のない強い熱を持った起業家のたまり場だ。人生を、自分の熱だけにかけているやつ、熱に振り回されて暴走してるやつらだけが集まる、「アジト」なんだ。

君もこれまでの人生で、自分の熱にやられているやつに何人か出会ってきただろう。高校で同じクラスにいるのに、自分の将来をすでに決めて、どこか遠くを見ているようなやつがそうだ。

君はいつも、自分の目標に１００％の熱をぶつけられる人間たちに気後れしてきたかもしれない。そして自分も、人知れず探してきたんだ。自分の熱源を。行き場のない熱の矛先《ほこさき》を。

今も、いつかはそれが見つかるだろうなんて思っている。

でもそれっていつだ？　なかなか決まりそうもないじゃないか。なんとなくまわりに合わせて、聞こえの良い企業に就職しようとか思ってたりしてさ。

なんなら今ここで決めてみないか？

才能が人を起業家にするんじゃない。行き場のない妄想でもなんでもいい、熱が人を起業家にするんだ。起業というのは、熱でできているんだ。

べつに起業しろって言いたいわけじゃない。起業に向いていない人だって大勢いるし、起業家が偉いわけでもない。アートでも、社会活動でも、スポーツでもなんでも、君の熱が存分に発揮されればそれでいい。若く強い熱を持っていて、それを発揮しようとしている君が何かを実現するということが、君にとってもっとも大切だ。

そうだろ？

僕はそうした熱にしか興味がないんだ。ひとりの人間の強烈な熱が、本当に社会を変えるのをこの目で何度も見てきたから。

君が人生で何かをしでかす人間になりたいと思うなら、まずは自分の熱源に気づくことだ。このアジトにいるのは起業家たちだが、みんなその熱源を見つけた結果、起業を選んでいる。そうしたやり場のない熱を事業にぶつけて、言ってみれば全員で人生の暴走をしているんだ。

この街で「一日で唯一の楽しみ」なんて言って、ランチタイムにフラフラしているか、コントロールできない自分の熱に振り回されてフラフラになるか。

君はどっちのフラフラがいい？

後者を選ぶなら、このアジトのドアをノックしてくれ。運が良ければ僕が話を聞こう。


ただ、覚えておいてほしいのは、このドアは誰にでもオープンなコワーキングスペースなんかのドアとはちょっと違うということだ。

まず、ちゃんとカギがかかっている。このアジトのドアは、熱を持っていないと開かない仕組みになっているんだ。その熱を測るのが僕の投資家としての最初の仕事だ。入れなかったら、入り口にあるカフェでチリコンカンのホットサンドとコーヒーでも買って帰ってくれ。ちょっと歩けばこの街には、他にも楽しいところがたくさんある。

僕の「体温計」は意外と正確だ。なぜなら僕自身が、熱をもてあます若者を地で行き、そのまま投資家になった人間だから。そして今日も、宇宙のはじまりみたいに熱くて危うい人間に会いたくて、この仕事をしている。

若さとは、暴走である

僕の暴走は、中学生の頃に始まった。生まれ故郷の埼玉の国立中学校だ。

「ギラついたことが何も起きない県ランキング」がもしあれば間違いなくナンバーワンに選ばれるであろうことが、県民ほぼ全員に共有されていると言っても過言ではないこの平和な県の、「自分は痛烈に普通だ」というマインドが充満した中学校の教室で、それは起きた。

あるクラスメイトが重量挙げで日本全中学校で1位になったのだ。

当然、クラスはざわつき、彼の話題でもちきりになる。痛烈に普通なクラスの中で、強烈に異常な才能が開花したのだ。クラスの面々が彼に送る視線は、この世で初めて、エジソンが発明した電球を見つめていた人たちのそれを思い浮かべてもらえばいいだろう。平和な埼玉県の、退屈な中学校の教室で、起きるはずのないイノベーションが起きたのだ。

僕は、自分と変わらず普通の中学生だと思っていたそのクラスメイトが、全日本の舞台で頭上高くバーベルを掲げ、表彰台の頂上で喜びに咽《むせ》び泣く姿を想像し、強烈な嫉妬心《しっとしん》を覚えた。

教卓では、英語が話せないと噂の英語教師が何度聞いてもわからない過去完了形の説明をしていたが、まるで頭に入ってこない日々が続いた。

「俺も、勝ちたい」

僕が初めて自分の熱源に気づいた瞬間だった。

かくしてこのアンリ少年は、「勝つ」ために日本一を目指すことになった。その後高校に入り、僕はボート部へ入部する。進学した高校の部活のうち、ボート部だけが全国大会に出場していたからだ。

僕は日焼けして真っ黒になった、絵に描いたようなマッチョ部員のひとりになり、必死で練習し、高校3年生まで部活をやった。しかし、結果としては関東大会の準決勝までしか行けなかった。高校3年間かけても、僕は勝てなかったのだ。

大学に進学してからも、僕の「勝ちたい熱」は収まらなかった。

僕の大学で一番強かったのは航空部だった。当時、全日本で三連覇するという好成績をおさめていた。「ここしかない」と思って入部したが、半年でやめた。僕は飛行機はもちろん、そもそも空を飛ぶことにまるで興味がなかったのだ。

仕方なく再びボート部に入った。

朝4時半から練習開始、夜10時消灯。大学の栄養学の先生の測定によれば、部員の1日の消費カロリーは6000キロカロリーを超えていた。人間が消滅するレベルのエネルギーを常に消費する日々を続けているうち、僕は体を壊してしまい、マネージャーへの移籍を告げられると同時に、ボート部を去った。

ちなみにここまで体育会系ぽいことを書いておきながら、僕は「フットサルをするか死か、どちらかを選べ」と言われれば間違いなく死を選ぶほど、運動にまるで興味がない。好きかどうかではなく、本当に「勝つ」ためだけの道として、本気でスポーツマンをやってきたのだ。

アンリ少年の不幸だったことは、「勝ちたい」ということだけが人生の目標になっていたことだった。同時に、このアンリ少年が幸せだったことは、根性がなかったことも幸いし、自分の勝てるゲームを探し続けるというマインドを持ち、そのための挑戦を若い頃から続けることができたことだった。それが結果として、投資家の素地《そじ》となった。

僕が言うやり場のない熱とは、こういう熱のことだ。

そうして日本一にことごとくなり損ねた僕が「これなら日本一、いや世界一を狙える」と思ってやってきたのが、投資家としての今の仕事だ。

起業家として世界一になるためには、この世界で誰よりも早く、誰も見たことのない商品やサービスをつくること。世界一の投資家になるためには、そうしたことができる起業家と出会って支援をすることだ。

このシンプルでどこまでも飽きのこない戦いが、今の僕が人生をかけて熱中しているゲームである。

ただ「勝ちたい」、その熱だけでボートやグライダーに乗っていた男が、今は起業家のつくった事業に乗せてもらって、誰もたどりついたことのない世界に行こうとしているんだ。この仕事も、あの青春時代と同じ熱でやっている。僕には青春時代のやり場のない熱のまま暴走する気持ちが痛いほどわかる。だから、僕には熱を持っているやつと、持っていないやつがすぐにわかるんだ。

やり場のない熱をもったやつ。君の暴走本能を、僕はとことんまで応援する。そして熱に任せて暴走しているやつの居場所こそが、このアジトにある。僕はかつての自分が行きたかった場所を、いま自分でつくっているのかもしれない。

起業とは、夢を「見続ける」生き方

熱をぶつける先はなんだっていい、と言ったが、ダントツで僕が勧めるのは、やはり起業だ。

熱を持った若者にとって起業は圧倒的に「コスパがいい」からだ。

君に青年の僕が持っていたような熱があるなら、一度はやってみるべきだ。

起業は熱だけでできるし、活躍するプロ野球選手並みの金銭的成功すら狙うことができる。

起業とは、実はローリスク・ハイリターンなゲームなんだ。失敗しても、君の熱と若かりし日々の一部が消えるだけ。他に失うものは特にない。

一方でプロ野球選手の人生は、ハイリスク・ハイリターンなゲームの代表格だろう。まず、ほとんどのプロ野球選手は小学校くらいから野球に人生を捧げ、その後、中学校の全国大会、高校の甲子園、その成果によってドラフトで選ばれなければプロへの道はほぼない。

晴れてプロ球団へ入団できても、同僚は小学校から第一線で活躍を続けたサラブレッドばかりだ。この中でさらに頭ひとつ抜き出た成功をするためには、単なる野球ゲームではなく、「体格ゲーム」を戦わなければならない。野球選手は、最後には体格がモノを言う。ダルビッシュや大谷《おおたに》が大リーグで戦うことができるのは、尋常《じんじょう》ではない精神力と努力、そして奇跡的に配列されたDNAによって生物学的に体格が他の選手を凌駕《りょうが》しているからだ。

さらにプロ野球選手は万が一、致命的なケガをしたら「それまで」だ。もしもそのタイミングが20代半ばであれば、その後の人生に一切の保証はなくなる。30歳を越えたら何年続けられるかわからない。引退ということになれば、野球しかない人生の偏《かたよ》りが、ボディーブローのように効いてくる。人生を野球に捧げてきた人から野球がなくなれば、ただの一般人以下だからだ。

コーチや解説者になれる人はほんの一握り。引退後、突然、年収100万円台の世界に転落するリスクすらあるだろう。

しかし起業というのは、とくにアプリ開発などのインターネット事業の場合、ほとんど元手ゼロのド素人で、今、この瞬間からでも始められる、超ローリスクのゲームだ。

もちろん開発のためのパソコンやインターネット、プログラミングの知識は必要になるが、機材はフリマアプリなどで格安で入手できるし、プログラミングは今や子供向けの教育講座があるくらいだ。少しググれば無料のテキストや格安のオンライン講座がある。

モノを売りたければメルカリ、ウェブサイトがつくりたければ制作サービスも格安のものがある。起業するために必要なツールやノウハウはすべてインターネット上にあると思っておいて間違いないだろう。

さらに「ほどほどの成功」で人並みに食っていくこともできる。

みな起業家と聞けば、サイバーエージェントの藤田晋《ふじたすすむ》やメルカリの山田進太郎《やまだしんたろう》などの大御所を想像しすぎるきらいがある。彼らは言ってみれば、大リーガーのようなものだ。彼らのような人だけが起業家ではない。

起業とは事業を起こすことに他ならない。世の中には、誰も気づかないほどニッチな事業で巨万の富を得ている起業家もいれば、ほどほどの収益だが、自分の趣味と仕事を両立できるような事業を行い、人生を楽しんでいる起業家もいる。

人に称賛されるような大成功をしなくても、人知れずほどほどの成功さえしていれば食っていくことができる。

プロ野球選手などのように戦力外通告があるわけでもなければケガをしたら終わりということもない。年齢制限もない。うまくいかなければ事業を変え、また成功を追いかけることができる。

さらに、仮に起業家の人生を諦めたときでさえも、培《つちか》ったプログラミングスキルはエンジニアとして、経営のスキルと人脈はプロジェクトマネジメントやディレクターとして、既存の企業で十分に活用できる自分だけの財産となる。

そして成功して得られるハイリターンは、君の想像を超える。巨万の富や社会的地位はもちろん、この世界を動かす力を手に入れることすらできるかもしれない。


いいか、起業というのはもはや職業ではない。

いわば終わらない夢を見せてくれる、生き方なんだ。

人生には夢が大事だと大人は誰でも言う。そして夢は誰でも見ることができる。プロ野球選手を夢見たっていい。歌手を夢見たっていい。君の自由だ。

しかし、夢に生きることを選択肢として君の人生のテーブルに並べたとき、その夢を「見続けられるかどうか」は重要な判断基準にならないだろうか？　夢は見ることより、見続けられることのほうがはるかに重要だ。その点で起業家は、非常に良い選択肢になる。

起業は果てしない夢などではなく、君にどうしようもない熱があるなら、人生において一度は選んでおいて損はない、ただの選択肢のひとつなんだ。

エアビーもウーバーも、みんな最初は「せどり」だった

「とはいっても、起業するにはアイデアがないと……」と誰もが最初に思うものだ。難しく考えるな。そんな君に、こんな小学1年生の言葉を贈ろう。

「ごみでもかんがえたらうれる」

少し前、ある小学1年生の少年が「シーグラス」をメルカリで販売し、ネットメディア『バズフィード』で紹介されるほど話題になった。シーグラスというのは、海に捨てられた瓶《びん》などのガラスが、波によって砂や岩で削られ、美しい石のようになったもののことを言う。

この少年は香川で出会った漁師に、「シーグラスが高く売れる」ということを教わって、

それを実際にメルカリで1000円で売ってみせた。

この少年の行動こそが、起業家にとって必要な唯一のスキルと言ってもいい。

起業に興味がある人ほど、メディアの報道や起業セミナーを真《ま》に受けてしまって、始める前に二の足を踏む。難しく考えず、まずはメルカリでガラクタを売ることから始めればいい。小学1年生でもできるんだ。楽勝だろ?


起業、さらには事業をつくるうえで重要なことは、世の中にある「価値のズレ」に気づくことだ。

起業の基本的な原理は、古本の販売などに代表される「せどり(背取り)」だろう。せどりとは、掘り出し物を安く見つけて、高く売り、利益(差益)を得る商売法だ。

せどりをするためにはまず、世の中で価値がズレているものに気づかなくてはならない。たとえば近所の古本屋で見つけた100円の古本が、アマゾンじゃ1000円で売られていたりする。こうした価値のズレだ。

シーグラスなんてどこの浜辺にでもある「ごみ」だ。あの少年はそれをメルカリで売れば価値が出ることを知り、実際に利益を出した。せどりとはつまり、世の中では価値が無い(もしくは価値が低い)とされているものに気づき、価値が出る場所で売って利益(差益)を得ることだ。

たとえば民泊サービスの「Airbnb《エアビーアンドビー》（以下、エアビー）」や、タクシーの概念を変えたサービス「Uber《ウーバー》（以下、ウーバー）」も、ここ10年間でもっとも成功したスタートアップ、と言うと仰々《ぎょうぎょう》しいが、商売の原理的には単なるせどりだ。

エアビーは、世界最大手の「民泊サイト」である。登録すれば、誰でも自分の家を貸すことができるし、世界中の人の家に泊まることができる。サービスは世界220カ国以上へ展開され、登録されている宿泊場所は700万件以上になる（2020年6月現在）。

現在はフェイスブックやインスタグラムを通して、友達がエアビーの宿泊先で楽しそうに交流している様子を見ることはさほど珍しいことではなくなった。

しかしエアビーが創業された当時は、誰もが最悪のビジネスモデルとしか思えないものだった。考えてもみてくれ、いつの間に「赤の他人の家でも人はお金を出して泊まる」なんてことがあたりまえになったんだ？

このアイデアが生まれたのは2007年。のちにエアビーを共同創業することになるジョー・ゲビアとブライアン・チェスキーは、ある日、サンフランシスコにある自宅のアパートをインターネットを通じて貸し出すことを思いつく。

その当時、地元で大きなイベントがあり、周囲の宿泊施設が満杯になっていた。インターネットで呼びかければ、誰かがお金を払って泊まりに来るのではないかと考えたのだ。すると瞬《また》く間《たた》に借り手が見つかり、得られた宿泊料は意外な収入になった。言ってみれば、なんの価値もない自分の家を臨時のホテルとして売ってみたら、買い手がついたということだ。

つまりエアビーの始まりは、誰にでもできるせどりだったのだ。

彼らはこの小さな成功を仮説とし、2008年にエアビーを創業したわけだが、まともな投資家ならプレゼンを聞いて爆笑し、こう言ったに違いない。

「君の家に見知らぬ誰かが泊まりに来たからって、どうしてそれがビジネスチャンスの根拠になるんだ？」

もともとタクシーサービスが充実している日本では馴染《なじ》みのないウーバーだが、海外に行けばその普及率には驚かされる。すでにウーバーがなければ毎日の通勤など、欠かせない移動に大幅な支障をきたす市民が続出するだろう。

ウーバーは2009年、トラヴィス・カラニックとギャレット・キャンプが資本金20万ドルで創業している。そのきっかけは、2008年の雪が降るパリの夕方、ふたりがタクシーをつかまえられずに困っていたときに、アプリのボタンをタップするだけで車を呼ぶことができたら便利だろうと考えたことだった。

アイデアとしては以上。驚くほどに単純で大胆だ。

このアイデアも、言ってみればせどりだ。考えてもみろ、２００９年当時、ヒッチハイカーでもなければ、誰がタクシーの代わりに他人の車にお金を出して乗ろうと思うだろう？

しかし結果的に彼らのせどりは成功した。それも世の中の移動の価値体系に大きな影響を与えるほどの大成功だ。今や人がその乗り物のことをタクシーと呼ばず、「ウーバー」と呼ぶようになったことがその証拠だ。

「起業のアイデア」ではなく、「世の中の価値のズレを見つける」「せどりのアイデアを考える」となれば、誰でも思いつきそうなものだ。

起業は、まずそうしたハードルの低いところから始めていくのが、無駄に二の足を踏まないコツと言えるだろう。

事業とは、誰でも考えつくことを「１００倍の規模」でやること

アジトにいる起業家に、僕が口癖のように言っているのは、「まず規模を１００倍にしろ」だ。とどのつまり、起業のアイデアなんてどうでもいいのだ。君に熱があって、やってみた

いことが見つかればそれで十分。あとはそれを100倍の規模でやるだけだ。

今の世界は、起業家がただの思いつきを100倍の規模でやった結果でできている。エアビーとウーバーは、今や世界の常識を変えるほどのサービスになった。いったい何がそうさせたのか? 彼らが、小さな思いつきをとんでもない規模に拡大したからだ。

つまり、ただの「サンフランシスコ空き家ドットコム」や「市のタクシー会社専用配車アプリ」をつくることに終始しなかったことが、彼らの成功の理由だったわけだ。

エアビーが生まれる以前、観光客はホテルに泊まるものだった。しかしエアビーの登場で、家を貸す人がいればどこにでも泊まれるようになった。世界中のどこでも、誰でも家を借りることができるし、貸すことで収益をあげることもできる。アイデア自体より、「世界中の家」というとんでもないサイズの宿泊プラットフォームになったことが、エアビーの凄みだ。

都内でもっとも大きなタクシー会社ですら、時価総額はせいぜい50億円だ。ウーバーがこの産業を相手にしてタクシー配車アプリをつくっても、その成長は限られる。投資家は誰も見向きもしなかっただろう。しかしインターネットをつかって「世界中の移動」のためのプラットフォームをつくる、ということになると、桁違《けたちが》いのビジネスになった。

どんな思いつきでも、とにかくとんでもない大きさにしてしまえば、それが事業になり、まとまった金を生む。

たとえば僕の妻で、フィンテックにいち早く参入し、モバイル決済サービスを展開している「hey《ヘイ》」の起業家・佐俣奈緒子《さまたなおこ》は、学生時代にせどりで稼いでいた。

僕は彼女と大学3年生の頃に出会っている。そのとき、彼女は同じ学生なのに飲みに行くとなれば高級ホテルのバーへ行くし、しょっちゅう海外旅行に出かけていく。「金持ちのお嬢様か何かなのかな？」と思って、なんでそんなにお金があるのかと聞いてみたら、とある販売店で大量に電子辞書を買い込み、それをヤフオクで転売しているという。なんでもその販売店で売っている電子辞書は、内蔵している辞書の数が多いうえに、一般的な電子辞書よりも安く買えるそうだ。

さらに彼女はニューヨークなどに海外旅行に行っては、ブランド物の靴を買い込んで帰ってきていた。現地で「型落ち」したブランド物の靴を日本で転売すると高く売れるんだそうだ。その差益で、海外旅行の旅費のほとんどを賄《まかな》えるという。「これ、履く？」と、革靴をもらったことがあるが、それは日本で6万円はする高級品だった。

普通の人なら1つ2つ買って少し儲ける程度だが、成功する起業家は売れるとわかれば一気に購入し、まとまった金に変えてしまうのだ。

これに対し、失敗しがちな起業家がよくやるのが「クオリティを担保するために、まずは小さく始めてみようと思います」というものだ。この段階でこの起業家はほぼ１００％失敗する。

ゼロの起業家が着想したアイデアなんて、よほど優れていないかぎり全部ゴミみたいなものである。

起業で成功するためには、まず「規模にアプローチ」しなければならない。頭を使うんじゃない。手と足をつかって１００倍にするんだ。それがもっとも手っ取り早くアイデアが事業化できるかを試すことができる唯一の方法だ。

規模を変えてこそ、わかることがあるんだ。

僕のアジトにいる起業家には、信じられないほどレベルの低いアイデアを持って現れたやつらがいる。２０１４年に最初に会ったとき、彼らは28歳で、「渋弁《しぶべん》」という、渋谷にあるオフィスにお弁当を届ける事業をしていた。起業家の芦《あし》野《の》貴大《たかひろ》とその相棒が本当にただのお弁当屋さんだったこと以外、何も記憶していない。

僕はお弁当屋さんという肩書で僕の目の前に現れて投資を求めるという、彼らの信じられない熱に対して、投資を行った。

彼ら2人の熱だけはホカホカだったが、渋弁は「ほっともっと」の足元にも及ばないほどの存在感を一部の利用者だけに残し、終了した。

次にやつらを見たのは渋谷のど真ん中だった。弁当屋に見切りをつけ、やつらは「スク水（スクール水着）」のコスプレをして踊っていた。その姿を目《ま》の当たりにしたとき、すでに最悪を通り越したアイデアに暴走中だということだけがわかった。おそらく自分たちもどこに向かっているのかわかっていなかっただろう。

再び僕の前に現れたとき、やつらはすでにコスプレダンサーではなくなっていた。日本でも火がつきはじめたエアビーに乗っかったビジネスをしようと、次はマンションを借りて、日本にやってくる観光客に貸し出そうと言うんだ。

そこで僕が路頭に迷いかけている彼らに「まず規模を100倍にしろ」と言ったら、29歳の彼らは本当に100倍にした。東京中でマンションを借りまくったのだ。

わずか数人のスタートアップだ。膨大《ぼうだい》な量のマンションをマネジメントするなんて途方もない話だろう。たちまちオフィスに大量の洗濯機と乾燥機が持ち込まれ、24時間体制でベッドのシーツを洗濯し交換するという爆笑の光景が広がった。

しかしこの試みも失敗に終わった。いい線を行ってはいたが、日本でいわゆる民泊問題に火がつき、法律が改正されると同時に、彼らのビジネスもまた、燃え尽きたのだ。

それにも懲《こ》りず、彼らは再び僕の前に現れた。

そのとき、彼らは31歳。京都で町家を借り、モダンな内装に改装し、ハイクオリティなゲストハウスとして貸し出すビジネス「宿《やど》ルＫＹＯＴＯ」を始めていた。京都という観光の一大スポットで、京都らしい高付加価値の宿泊サービスを提供するというビジネスだ。

このビジネスは、どうやら好調らしい。現在も着々と規模を拡大中だ。ぜひ一度ウェブサイトをのぞいてみてほしい。とても元弁当屋がやっているとは思えないクオリティに驚くだろう。

やつらは考え得るなかで、いや、考えるまでもないなかでも最低のアイデアで起業している。もはやアイデアですらない。熱にまかせた衝動で、ただ暴走していただけだ。

ただ、彼らは大きな規模への挑戦をした。その時点から、事業がみちがえて良くなっている。

いいか、規模が「バカ」を起業家にするんだ。

10年後の〝格差〟は、今の君の熱が決める

どんな偉大な起業家も、創業当初のビジネスなんてひどいもんだ。

あのホリエモンだって、最初はホームページ制作業務だ。もちろん今のような誰でも気軽

にウェブディレクターを名乗れる時代ではなかったが、起業家になりたければ「あの時代にしてはすごい」「先見《せんけん》の明《めい》がある」なんて言っちゃだめだ。

「俺でもこれくらいできるぞ」と笑ってやれ。

僕の大好きな本に『ビットバレーの鼓動』がある。

この本には、かつて渋谷がベンチャービジネスの集積地「ビットバレー」などという名前で呼ばれていた頃にそこにいた、サイバーエージェントの藤田晋や楽天《らくてん》の三木谷浩史《みきたにひろし》ら43人のしょぼかりし頃が綴《つづ》られている。

いいか、「しょぼかりし」頃だ。「伝説の……」なんて言っちゃいけない。読むなら「こんなので成功できるんだ」と、寝っ転がって笑いながら読むくらいがちょうどいい。

当時のサイバーエージェントの主力商品は「クリック保証型広告」。ウェブページに貼《は》りつけるタイプのバナー広告で、ユーザーがクリックするたびに収入が入る仕組みのものだ。広告というとカッコよく聞こえるかもしれないが、単なるバナー屋である。

藤田氏の「2000年以降は、インターネット自体をビジネスにするより、それをいかに活用するか、つまりマーケティングの時代に差し掛かっているんです」という発言も、今の輝かしい姿から考えると、どうもぱっとしない。

どんなすごい起業家も、最初からすごいわけじゃない。投資家というのは、起業家の暴走を「砂かぶり」で見ることができるという特権があるんだ。だから断言できる。起業家全員、最初はしょぼい。

それに成功して有名になったら、起業家は、自分のしょぼいスタートなんて自伝や記事に書かなければいい。そうすればその起業家は、才能にあふれた起業家として人々に記憶される。いいか、世に知られている起業家像や投資家像と、実際にやることは全然ちがうんだ。

しかし覚えておいてくれ。君はまだ何もやっていない。起業家の成熟度では、さっきのバカ以下だ。起業というのは、自分の手で大きな規模の事業を実際につくったかどうか。それだけで決まる。

僕は君に「べつに起業しろって言いたいわけじゃない」と言った。

今はどうだ？　ちょっとやってみたくなったんじゃないか？

起業家のエピソードというのは、人の中に眠る熱を呼び起こすものがある。つまり起業とは、ロックなんだ。ステージで熱に任せて叫んでいる言葉に自分を重ねて熱くなる。そんな瞬間が、このアジトにはたくさんある。

僕は、数多くの若き成功者たちをその学生の頃から知っている。もとはみんな、君と同じ、「普通」だった。僕がボート部で暴走していたのと大差ない、ちょっと血気盛んな、どこにでもいるただの学生だったんだ。

僕は大学生の頃からずっとスタートアップに関心があり、周囲にはたくさんの起業家がいた。でも、僕もしょせんはただの学生だったんだ。結果的にベンチャーキャピタリストという道を選んだけれど、最初に選んだキャリアはリクルートだった。学生時代のまわりの優秀な友人たちがこぞって外資系投資銀行や大手メーカーに就職していくのを見て、流されるように選んだ大企業の就職先だった。


それから10年の時間が流れた。

気づけば僕は投資家になり、学生時代からの仲間であり、僕の投資先にもなっている起業家たちは『フォーブス』誌の表紙を飾り、世間に知られるベンチャー企業をつくった。そして、学生の頃に優秀だった人たちは、外資系やメーカーを辞め、今や彼らに雇用される側になっている。

スタートは同じ、普通の学生だ。それがたった10年でこれほどの差がつく。

この差をもたらした要素はふたつある。ひとつは、今は起業家にとって〝そういう時代〟だということ。もうひとつの要素は、この差が「能力の差」ではなく、「選択の差」によって生まれているということだ。

たった10年で、ほぼ能力が同じだった人間が、会社をつくって雇う側と、雇われる側になる。人材を選ぶ側と、人材として選ばれる側になる。

自分の熱にかけたか、「なんとなく外資や大企業」で選んだ就職かで、これほどの差が生まれるのだ。

君はどっちのゲームを選ぶ？

君に熱があるなら、これから先はすべて君次第だ。

DAY 1

発熱論まとめ

・君の「熱」を肯定し、応援しよう。
・起業とは、夢を「見続けられる」選択肢だ。
・起業なんて、せどりにすぎない。
・規模を100倍にせよ。
・「能力」ではなく「選択」が、人生を決める。

DAY 2
生きる場所を、選び間違えるな

成功の9割は「場所」で決まる

日本人はみんな努力が大好きだ。

もちろん僕も嫌いじゃないし、かなり努力しているほうだと思う。

みんなで頑張ろう、頑張ればできる、よく頑張ったね……街を歩けば努力に当たるくらい、学校でも家庭でも、会社でも社会でも、頑張ることが絶対的な正義のように語られているけれど、ただ投資家の視点から見ると、ここには重要な「大前提」が抜け落ちている。

どこで頑張るか、だ。

どんなに全速力で駆け上がっていても、そこが下りエスカレーターだったら、階段を普通に上がっている人にも負けてしまうかもしれない。その努力は、効率が悪い。

例が少し極端かもしれないが、結果を出すには、正しい努力を行う前に、まず「正しい場所」にいることのほうが、はるかに重要なのだ。

成功の９割は場所で決まると言っても、過言ではない。

今の君に必要なのは、自分に才能があるのかなんて延々と悩むことじゃない。努力をコツコツ積み重ねることでもない。

自分にとって正しい場所を見つけることだ。見極めることだ。

そして、自分をその場所に位置づけることさえできれば、成功は保証されたも同然だと信じることだ。

２日目の今日は、君が生きるべき居場所について、話そうと思う。


場所についての話をするとき、必ず思い浮かべる起業家がいる。阿部亮介《あべりょうすけ》だ。彼と出会ったのは、彼が『Lovin'Box《ラビンボックス》』という事業の資金調達をしている最中のことだった。

２０１５年２月に、渋谷の桜丘《さくらがおか》にあるカフェに現れた彼は、20代半ばにして時代の風に吹かれる、自信と野心に満ちた起業家だった。「僕らは売上が数十億になったらバイアウトするという現実的な目標を追っているんです」と、真剣な眼差《まなざ》しで話す。すでに資金調達をはじめていて、２社からは成約をとりつけていた。

Lovin'Boxは女性向けアクセサリーのレンタル・購入サービスだ。半年間の開発を経て

2014年の12月にサービスをローンチし、「月額2480円でデザイナーズアクセサリーが使い放題」というサービスのキャッチーさで人気を集めていた。聞けばテレビ東京のワールドビジネスサテライトでも取り上げられたそうだ。

起業家にたくさん会っていると、その事業の伸びがだいたい計算できるようになる。信頼する先輩起業家たちに「優秀な若者がいるから紹介します」と、僕に太鼓判を押させるようなやつが2、3年本気でやれば、売上数十億というのはそれほど非現実的でもない。

バイアウトすればその買収金額は、人生数回分の〝普通以上〟の利益をもたらすだろう。彼の読みはきわめて的確……と、投資家というのは何気なくコーヒーを飲んでいるフリをしながら、こんなことを考えているわけだ。

しかし彼の話に聞き入っているうちにぬるくなったコーヒーをすすりながら、僕はなんだか退屈な気持ちになってきた。

「彼はもっと伸びる」と確信したんだ。

聞くほどに彼がなぜ年商で数十億円程度の「普通の成功」を狙っているのかがよくわからなくなってきた。さしずめ彼は小さな水槽の中にいる大魚《たいぎょ》。つまり彼は、自分のサイズもわかっていないし、泳ぐべき所もまだ見つけられていない。

僕は彼が大海原《おおうなばら》で生き生きと泳ぐ姿を見てみたくなった。

だからこんな提案をしたんだ。

「君がとても優秀な起業家だということはよくわかりました。

でも、正直に言います。今の事業は君の才能に対して、割に合っていないと思います。

どうせなら、もっとでかいことやらない？」

カフェの隣の席では通信教育で学べる「ファイナンシャルプランナー養成講座」の勧誘をしている男性が雄弁に話していた。

しかし僕たちのテーブルは一転して静寂《せいじゃく》に包まれていた。

そりゃそうだ。資金調達にやってきて、さっき会ったばかりの投資家にいきなり「事業を変えろ」と言われているんだから。彼がこれまでにLovin' Boxの開発にかけてきた労力と情熱は計り知れないものがある。それを承知で、僕は言った。

「20代半ばという年齢を考えても、君は世界規模のゲームへの挑戦を、全力でやっていくのがいいに決まっている」

僕たちはもう少しの時間、カフェで話し込み、次の2つの選択肢を彼に託《たく》すことにした。

① Lovin' Boxの継続。年商数十億円のビジネスをつくる。

② 事業を変えて、年商1000億円や1兆円のビジネスをつくるチャンスにかける。もちろんその事業は「でかいこと」以外は決まっていない。

僕は「どう出てくるかな?」と思いながら、カフェからオフィスまでの道を歩いていた。まだ事業が不調であれば、悩むこともなかっただろう。そもそも、この選択肢に明確な自信を持って答えを出せるのは、会社をいくつも売却しているような「シリアル（シリアルアントレプレナー＝連続起業家）」くらいのものだ。その問いをあえて課した。

君ならどうする?

事業が好調で、さらには、このまま続ければ人生数回分の利益が手に入る。普通の人間が満足できる成功が約束されていたとしたら、君はその事業を捨てることができるだろうか? それまでの事業の開発にも相当な費用と時間がかかっている。たとえ巨大な成功につながる可能性はあったとしても、なんの根拠もない、自分が詳しくもない新しい事業を始めることができるだろうか?

「今の事業でいったん成果を出してから考えてみます」が、当然の答えだろう。

3日間、僕のスマホは鳴らなかった。

実は彼の出方をそんなに気にしてもいなかった。僕の言うことなんて聞かなかったことにしてもいい。僕がいなくても彼は普通に成功するのだから。

僕にとって、あのテーブルでわかったことは、彼が「正しい場所」にいないということだけだった。圧倒的に成長できる場所に。だから彼に伝えた。それが投資家としての僕の仕事なのだから。


4日目にスマホが鳴った。

そして阿部は言った。

「アンリさん。僕は、もっとでかいことがしたいです」


彼は一度のミーティングのあと、たった数日間で事業を捨てて「でかいこと」にかける決断をした。僕が「もっと伸びる」と確信した起業家は、自分をより伸ばすことのできる場所を本当に求めていたんだ。

すぐに次のミーティングを約束して、なんの事業をやろうかとディスカッションを重ねていった。

そのなかで生まれたのが、「ドローン事業」への方向転換だった。

こうしている現在も、ドローンは世界中の空を飛び回っている。SNSのタイムラインに流れてくる趣味の動画だけのことじゃない。たとえば近い未来、アマゾンなどのECの配送にとって、ドローンは主要な選択肢になるだろう。カナダでは鉱山の点検で使われ、アメリカでは大農場の作物の健康状態をモニターしている。ドローンはこの世界の物資の移動、観測などのインフラとして大きな可能性を持つ技術なのだ。

しかし数年前の2015年当時の世の中は、まだ様子見の段階だった。ドローンを本気で事業にしようと考えるベンチャーはほとんどいなかった。

話すうち、彼が東京大学大学院で航空宇宙工学を専攻していたこともわかり、「ファッションよりもドローンのほうが近い」という話になったのだ。

僕はこの話をしたその場で「出資させてください」と彼に告げた。六本木の、彼が自宅兼オフィスとして使っていた狭いマンションの一室だった。投資金額はまず1000万円。彼が1年間、ドローンのことだけを考えるための軍資金だ。

社名は「CLUE《クルー》」。

事業を転換するとすぐにドローンの専門メディア「DRONE《ドローン》 BORG《ボーグ》」を運営しはじめた。その情報の希少性から、瞬く間に雑誌の取材を受けるようになり、研修の講師をつとめるほどのエキスパートになった。

ＣＬＵＥの阿部亮介は、確実だが中途半端な成長しか期待できない場所ではなく、不確実だが異常に成長できる場所にいたほうが成功するタイプだ。結果として、「でかいこと」に挑戦できる状況に身を置くことで、彼は自らの才能に気づき、どんどん自分を伸ばすことができている。

そして彼らＣＬＵＥは本当に「でかいこと」を成し遂げつつある。

２０１７年11月には10社から３・３億円を資金調達。現在彼らは、アフリカの未整備の道路の点検事業に進出したり、日本初のスマホで動かすドローンアプリを開発して、積水ハウスら大手企業と協業し、住宅の屋根などの点検を簡易に行う仕組みをつくり出すなど、急速にビジネスを拡大している。

建設業では、転落事故が毎年の労災事故の死亡者のうち40パーセントを占めるというから、職人の高齢化や人員不足が進む日本では、ドローンの活用は急務なのだ。

日本中、いや世界中の現場でＣＬＵＥのドローンが飛び交う日は、もうそこまで来ている。

投資家としてこんなに嬉しいことはない。

このチャンスを手にしたのは、他ならぬ彼の「決断」にあるのだから。

クリリンはなぜ地球人最強になれたのか

君は僕を天才だと思うだろうか。

そこそこ成功している起業家にわざわざ自分の事業をやめさせて、ドローンで成功する道を示した。まるで未来を見てきたかのような感じがしないか？

事実、投資の天才だと呼ばれたこともある。しかし僕は自分を天才だと思ったことは一度もない。むしろ凡人中の凡人だと思っている。

僕はいかなる分野においても、学年トップをとれるような天才や秀才タイプではない。実は突飛な才能などひとつも持ち合わせていない。それでいて、小学校からずっと良い成績をとり続けたし、大学もいわゆる名門校出身だ。

僕が凡人でありながら人並み以上の成功をモノにしてきたのは、勝手に成長させてくれる場所に自分を位置づける「戦術」に長《た》けていたからだ。

その戦術は、常にクラスや学校のトップ集団に自分の身を置いて、その中で「平均点をとる」という単純なものである。

たとえば小学校のクラスで僕が仲の良い友達はみな優秀な生徒ばかりだった。教科書をただ読んでいるだけで覚えることができるやつ、抜群に運動神経のいいやつとばかりいっしょにいた。

そうしたやつらの中にいるだけで、最優秀は無理でも、四苦八苦《しくはっく》せずとも、まあまあの成績はとり続けることができた。

中学校に入っても僕のやり方は同じだった。なる早でトップ集団を特定し、その中で平均点をとる。そうして次は、全国から優秀な生徒がわんさか集まるような高校へ入学する。彼らと何をしていたかというと、ただ毎日会うだけ。同じものを見て、聞いて、ただいっしょに呼吸していただけだ。そして高校でも、仲間の中で僕がとるのはいつもそいつらの平均点だった。

進学校のトップ集団の中にいるだけで、成績はイマイチでも世間的には「そこそこ優秀な人」になれる。これを僕は、ドラゴンボールにおける「クリリン効果」と呼んでいる。

クリリンというキャラクターの戦闘力はどう考えてもZ戦士の中では最弱の部類に属する。おそらくサイヤ人のベジータに指先だけで負けるようなやつだ。しかしクリリンは地球人の中では紛《まぎ》れもなく最強だ。

彼を人類最強にしたのは、宇宙最強を目指す異常な集団であるZ戦士という環境にある。

宇宙最強の中で切磋琢磨《せっさたくま》していれば、地球最強になんて、なれてあたりまえなのだ。

僕が起業家にとって正しい場所を明確に把握できるのは、このクリリン効果で気づいた「場所の重要性」を応用しているにすぎない。僕は凡人でありながらそこそこ優秀な成績をおさめることに学生生活の十数年間、成功してきた、いわば「プロの凡人」なのだ。

そうした人生を歩んできた僕の信念は、人間というものはとどのつまり、環境でしか変われないし成長もできない、というものだ。

ひとりの高い志《こころざし》や努力で変わり、成長することはない。

勝手に自分を成長させてくれる場所に身を置いてさえいれば、たとえ凡人でも自ずと成長し、そこそこの成功をするようになる。自分の才能や能力を開発する必要などなく、見極めるべきは場所なのだ。自分を成長させてくれる、筋《すじ》のいい場所、筋のいいコミュニティに自分を位置づけることさえできれば、あとはその中で平均点をとるだけでいいのだ。

だから僕は、投資する起業家のいる「場所」を、いつもシビアに見ている。

自分の能力を十分に伸ばし、事業を成長させることができる「正しい場所」へと起業家を誘うことは、投資家のきわめて重要な仕事である。

「カバン持ち」で狙うべきは高名《こうめい》な人の独立後

僕はベンチャーキャピタリストとして修業するために、投資家・松山太河《まつやまたいが》さんのところに「カバン持ち」として転がり込んだ。これも自分を正しい場所に位置づけた経験だった。

日本とインドネシアでもっとも成功した投資家のひとりであり、メルカリを起業したばかりの山田進太郎に六本木の交差点で数千万円の投資を決めたエピソードで有名な太河さんは、投資家の界隈《かいわい》では「生きた伝説」として知られる。

僕が太河さんと出会ったのは大学生の頃だ。当時からスタートアップやベンチャーキャピタリストに興味があった僕は、インスプラウトという、IT企業のインキュベーション（支援）を手がける会社でインターンをしていた。

「VC《ブイシー》（Venture Capitalのことだが、Venture Capitalistの略としても使われている）を集めた飲み会をやるから君も来ない？」

ある日、人づてにそんな誘いが舞い込んだんだ。僕は当然、二つ返事でその飲み会に潜入することにした。その参加メンバーの中にいたのが太河さんだった。

飲み会は神保町《じんぼうちょう》にある飲食店の個室で開催された。席につくと、さっそくみなで自己紹介を兼ねたあいさつをしていく。僕が自己紹介を終えると、太河さんはぽかんとした表情をして、僕に向けて第一声を放った。

「君、なんでここにいるの？」

ごもっともだった。ベンチャーキャピタルの社長クラスが並ぶテーブルの中で僕だけが学生だったのだから。

「ベンチャーキャピタルが好きでして……、ちょっと勉強させていただきたく……」なんてもごもごしながら、場に馴染めなかった僕だったが、プログラマーのポール・グレアムについて話しはじめたとき、太河さんの表情が変わったのを覚えている。

今でこそエッセイストや投資家として知られているが、当時はごく一部のエンジニアの中で、プログラミング言語「ＬＩＳＰ《リスプ》」のハッカーとして知られているにすぎない存在だった。僕は当時からインターネットが世界を変えると確信していたので、彼の著書であり名著である『ハッカーと画家――コンピュータ時代の創造者たち』にハマっていたのだ。

特別な職能集団に受け入れられるためには、彼らとの共通言語を持つことが必要だ。その日から太河さんは僕に目をかけてくれ、折《おり》に触れてメールをくれて、飲み会にも誘ってくれるようになった。

その後、学生だった僕はリクルートに就職し、社会人としての一歩を踏み出した。その約

2年半後、「ある出来事」をきっかけに会社を辞めて転がり込んだのが太河さんのところだった。

太河さんはちょうど、イーストベンチャーズという、インドネシアの成長ITベンチャーに投資するファンドを組成《そせい》している頃だった。

「でも今、そんなに仕事がないからな。……じゃあ、『フリークアウト』っていう会社が立ち上げをやってるから、手伝いをしに行っておいでよ」

太河さんは「俺、あんまりカバンとか持たないし」とでも言いたげな顔で、少しばかりのお金をくれ、転がり込んだばかりの僕をさっそくスタートアップの立ち上げに参画《さんかく》させてくれた。

手伝いというのは、事業計画、サービス開発、友達をクライアントとして連れてくること、掃除を含む雑用など、まさにすべてだった。起業家と「同じ釜の飯を食う」のが僕の日常になり、その釜自体をつくることが仕事のすべてだった。

こうして僕はフリークアウトに身を置き、起業家と並走しながら成功へと導いていく、太河さん流の「ハンズオン」の投資スタイル（出資者が投資先企業の経営に直接参画するやり方）を体得していった。

僕はこの場所で、太河さんを自分にコピーし続けたんだ。

太河さんのようにものを見て、理解し、話し方まで似てきた。

一見、体当たりの丁稚奉公《でっちぼうこう》のように思えるかもしれないが、僕は僕自身を正しい場所に位置づけている実感があった。投資は実践からしか学べない。伸びるスタートアップを生み出している投資家のもとにいながら、同じ空気を吸って、頭と体で学ぶしかないのだ。

そして覚えておいてほしい。カバン持ちの募集なんて誰もしないし、「カバン持ちをさせてください」とは言い出しにくいものだが、成功した高名な人がなんらかの形で独立したとき、その人は案外孤独だ。

行動を起こすとすれば、狙い目だと思っておくといい。

すべては正しい場所に行き、成長するためだ。カバン持ちもその選択肢として考えておいて損はない。

六本木のボロビルが、スタートアップの爆心地に

かくして僕は、太河さんの投資先、フリークアウトの立ち上げに関わることになった。

「フリークアウト（freak out）」は日本語の「ヤバい！」に相当する英語のスラングだが、日本で初めてインターネット広告におけるリアルタイム取引を事業化したスタートアップだ。

ウェブサイト訪問者の年齢や嗜好《しこう》などを瞬時に解析し、最適な広告を広告主が入札する。訪

問から0・1秒を切る速度で配信が行われる仕組みだ。

僕は新橋《しんばし》にあった、陽のあたらない、漫喫のカップルシートみたいに狭くて粗末でヤバすぎるシェアオフィスに出入りし、雑用から事業計画のディスカッションまで、とにかくなんでもやっていた。

隣のブースで朝から晩まで「お久しぶりです！ 独立したんで何か仕事ないですか！」とひとりで営業電話をかけている名も知らぬ会社の横で、創業者の本田謙《ほんだゆずる》さんが「このDSP（デマンド・サイド・プラットフォーム）ってシステムができたら電通とかなくなっちゃうよね〜」とゲラゲラ笑いながら、プログラミングをしていた。

「そうそう、『CAMPFIRE《キャンプファイヤー》』っていう会社があるんだけど、これも立ち上げやってきてくれる？」

フリークアウトな日々を送っていると、ふたたび太河さんからの指令で立ち上げを手伝うことになった。クラウドファンディングサービスを展開するCAMPFIREの共同創業者は、「ひきこもり起業家」として知られるシリアルアントレプレナー、家入一真《いえいりかずま》だ。

当時はまだクラウドファンディングという文化そのものが日本になく、僕らはそれを手探りでつくっていった。文化がないわけだから、プロジェクトが失敗して炎上すれば事業は成り立たなくなる。僕たちは金融業として事故を起こさないよう、慎重に仕事を進めていった。

リアルな家入さんと仕事ができるのは、最初すごく緊張したが、刺激的だった。

家入さんは事業がうまくいきはじめると、気まずくなって会社に来なくなる。

よくわからない感覚だろ？

創業して事業が軌道《きどう》に乗ってくると、創業者が直接やる仕事は少なくなる。そうなると、家入さんは社長なのになんだか申し訳なさそうな顔をして、会社に来なくなるんだ。「俺はゼロイチをやったんだから、あとは任せた」という感じじゃない。ある意味ではとても気が弱く、優しい起業家なんだ。

そんな彼と仕事をしていくなかで、僕は起業家という偏屈《へんくつ》で繊細《せんさい》な生き物との会話の仕方も学んでいった。


「あ、そうだ、『カンム』と『みんなのマーケット』って会社もあるんだけど、これも立ち上げやってきてね」

ふたたび太河さんから指令だ。

「いったいどれだけ立ち上げるんだ」と思うだろ？　事業というのはタイミングが命だ。ファンドを運用していると、ものすごいスピードで投資先は増える。ひとりの投資家のキャパシティなんて、一瞬で超えていく。

投資家として生きていくことは、自分の限界を毎日少しずつ超えていくことだと学んだのもこの頃だった。

しかし、こうも立ち上げが増えてくると移動が大変になる。フリークアウトは新橋、CAMPFIREは六本木、カンムとみんなのマーケットは渋谷だ。僕には時間も金もなかった。リクルートの社員時代に貯めたお金は一瞬でなくなったし、太河さんからもらっていたわずかなカバン持ち代を削るのももったいない。

そこで、「移動がめんどくさい！　全員集合だ！」という僕の独善的な判断で、これらすべての会社を六本木にオフィスを借りて結集させることにした。太河さんが家賃の半分を出してくれ、フリークアウトが大家をつとめるシェアオフィスが２０１１年に誕生した。

入居者はフリークアウト、CAMPFIRE、カンム、みんなのマーケットに続き、「AnyPerk《エニーパーク》（現・Fond《フォンド》）」、「コイニー（現・hey）」の創業メンバーものちに加わり、合計で6社となった。

六本木といっても、オフィスのあるビルは正真正銘のボロビルだった。性能の悪いエレベーターが階に止まると、いつもちょっと隙間が空いていたのを今でもよく覚えている。気の利いたドリンクバーもなければ、こぎれいなミーティングスペースもない。

オフィスは100平米《へいべい》ほどの広さだった。最初は仲の良い6社がこぢんまりと入居しているだけだった。フリークアウトの本田さんがギターを弾いて、誰かがそれにキーボードで加わり、セッションが始まる。本田さんがどこからともなく持ってきたショッピングカートでオフィス内を走り回り、バランスボールを投げて蛍光灯を割ってみんなで大笑いするような日常だった。

しかし、そんな日々を送っていたのも束《つか》の間、すぐに人が増え始めた。フリークアウトが急成長し、大至急で人を採用しはじめたのだ。

よく知った仲間と「おはよう」で始まる日常はたちまち「はじめまして」の連続になった。エンジニアや営業職で雇われた人々に、次々と新しい机と椅子が用意されていった。

あっという間にオフィス内は知らない人だらけでごったがえし、すぐさま同じ階にある隣のオフィスも借りることになり、1フロアまるごとがフリークアウトのオフィスになった。

「会社ってこんなスピードで大きくなるんだ……」と、僕を含む全員がその急成長ぶりに驚いていた。オフィスにはクライアントをはじめ、次から次へといろんな人が訪れるようになった。僕らの作業しているすぐとなりの机で、急ピッチで開発が進められ、資金調達を始めとするさまざまなミーティングが行われていった。

フリークアウトの成長は止《とど》まるところを知らず、1フロアまるごとのオフィスも手狭になり、１年経たないうちに彼らはこの六本木オフィスを出ていった。そうしてフリークアウトは２０１４年、東京証券取引所マザーズに上場する。

この環境に君がいることを想像してみてほしい。

君はまだ事業で成功したこともないし、それがどういうものか想像できないでいる。起業に関する本を読めば、成功した人のプロセスはわかる。しかし日常の今、自分の目の前で何をすれば成功するかは見えてこないはずだ。

このオフィスにはそれがあるんだ。

いるのは六本木のボロビルだが、フリークアウトは紛れもなく日本のスタートアップのトップを走ろうとしていた。

ちょっと背伸びして隣の机を覗《のぞ》き込んだり、耳を澄ますだけで、起業の成功者の世界観を垣間見ることができるわけだ。人の雇い方や資金調達の方法、事業の伸ばし方などのさまざまなアイデアやノウハウが、まるでお菓子を配るみたいにオフィスの中を循環していた。

「隣でこれだけ成功している人がいるんだから、自分たちもいけるんじゃない？」と、みなが確信しはじめていたとき、僕は既視感に襲われていた。「ああ、これは、僕がプロの凡人として駆け抜けた、あの青春の日々と同じじゃないか……」と。

そう、トップ集団の中にいるだけで勝手に成長できる、あの感じだ。起業だってそれだけで成功するんだと僕は確信していった。

そして、入居していたスタートアップはみな、本当にあたりまえのように成功していった。CAMPFIREは、クラウドファンディングサービスの先駆けとして、今や日本最大級にまで右肩上がりで成長している。テレビＣＭもガンガン打ち、累計流通額はついに２００億円を超えた（２０２０年5月2日現在）。

フィンテックのカンムは、生年月日と電話番号を登録するだけで、最速1分でカード番号が発行されるキャッシュレス決済アプリ「バンドルカード」を開発し、３年半で２００万ダウンロードを達成（２０２０年2月19日現在）。ユーザー数と提携先を増やし続けている。

みんなのマーケットは、インターネットの商店街「くらしのマーケット」を運営。ハウスクリーニングや不用品回収などの、日常におけるちょっとした「困りごと」に特化したオンライン予約の出張・訪問サービスで、出店している店舗は累計３万３０００店を超えた（２０１９年末現在）。つい最近も40億円もの資金調達を行ったばかりだ。

Anyperk（現・Fond）は、日本人で初めて米アクセラレーター「Y《ワイ》 Combinator《コンビネーター》」の支援プログラムに採択され、福利厚生のアウトソーシングサービスを展開、アメリカで５００社もの企業の福利厚生を代行し、業界のトップシェアに輝いている。

コイニー（現・hey）は、フィンテックにいち早く参入し、実店舗のモバイル決済サービス「STORES《ストアーズ》」を展開。中堅・小規模の小売業者を中心とした多くのユーザーを持ち、堅調にサービスを拡大し続けている。

そして、これらの会社でインターンをしていたやつらからも、成功者が続出している。たとえば、CAMPFIREでインターンをしていた鶴岡裕太《つるおかゆうた》は、大学在学中に「ＢＡＳＥ《ベイス》」というEコマースプラットフォームをつくって、着実に成長させていき、ついに２０１９年10月、マザーズ上場を果たした。

カンムでインターンをしていた高野兼一《たかのけんいち》も、大学在学中に決済サービスの会社を起業。その会社は２０１４年ＢＡＳＥに買収され、今はＢＡＳＥの主力事業を担うひとりとして活躍している。

みんなのマーケットでインターンをしていた有川鴻哉《ありかわこうや》は、やがて創業メンバーのひとりとして「ＭＥＲＹ《メリー》」をつくり、大成功させ、今は「ズボラ旅」というサービスを展開。20代のエンジェル投資家としても活躍している。

想像できるか？

このオフィスをスタートアップの爆心地にしていったのは、理屈でも戦略でもない、ただの空気だったんだ。それも起業後わずか3年9カ月で東証マザーズに上場したフリークアウトが生み出す、圧倒的な上昇気流だ。

「バラけるな。起業家は吹けば飛ぶ」

僕の投資スタイルは、この六本木オフィスを再現することがすべてと言ってもいい。

つまり、ただ呼吸をしているだけで起業家が次々に成功してゆくような場所をつくり、その起業家すべてに投資するというものだ。

とどのつまり人間というのは、イメージできないものになることはできない。

たとえば君が「政治家になれ」と言われても、戸惑うだろ？　しかし政治家の子どもにとって政治家になるのは、特別なことじゃない。人生でいちばん身近にいる存在が政治家なんだから、自分が政治家になることをイメージしやすい。彼らにとっては政治家になることは人生における普通の選択になり、言ってみれば惰性《だせい》でなれるものになる。

彼らはむしろ、平凡の代名詞であるサラリーマンになることが非常に難しい。毎朝満員電車に揺られ、会社では上司や取引先から与えられるストレスに悩まされる。そのすべてが何をやっているのか、政治家の子供には理解できないだろう。彼らがサラリーマンになることは、君が政治家になるくらいにハードルが高いのだ。

スポーツの例では、陸上100メートル走における「10秒の壁」がそうだ。

かつて人類で10秒を切ることは絶対に不可能とされていたため、そう呼ばれるようになったそうだ。しかし、ひとたび9秒台で走る選手が出てくると（1968年のジム・ハインズの記録による）、次々と10秒の壁を破る選手が登場した。これも「人類は10秒の壁を越えられる」ということがイメージできたことによって実現したと言えるかもしれない。

起業家だって同じことだ。

君の友人の半分が起業家で、そのさらに半分が成功していたら、君だって起業家になれるし、あたりまえのように成功できると思わないか？

まったく同じ挑戦でも、たったひとりでやるのと、「あいつだってできるんだから」というイメージがあるのとでは、結果は大きく変わってくる。

大切なのは、惰性で起業家になれる場所に身を置いておくことだ。その場所にいさえすれば、起業することも、成功することも普通になるんだ。

だから起業家というのは、バラけずにまとまっていたほうがいい。向こう三軒両隣がみな起業家、というような環境で群れているんだ。

僕はそういう環境を、六本木オフィス以降つくりつづけている。

たとえばフリークアウトが上場する前後の2013年頃から、僕は投資先の起業家を渋谷の桜丘にあるマンション「シャレー渋谷」に集め始めた。道玄坂《どうげんざか》から桜丘の界隈は、渋谷駅周辺の再開発を前に立ち退き前提で家賃が安くなっていたのだ。このマンションの部屋をいくつか借り、次々と起業家たちを集め、シェアオフィス化していった。

シャレー渋谷には「惰性で起業家」を地で行く環境が生まれた。なんといってもノックすればお隣さんが起業家だ。さっき話したCLUEの阿部亮介なんかが隣に住んでるわけだ。「夕食つくりすぎたから、いっしょにどうですか?」と気軽に声をかけて集まることができる。極端な話、飯を食ってダベっているだけで成功できる場が生まれたのだ。


起業して成功するためには、成功するのがあたりまえの場所に固まっているのがいちばん良い。起業家ひとりが持つ熱は、いくら強くても儚《はかな》い、言ってみれば吹けば飛ぶようなものだ。たったひとりで自分の成功を信じ続けることはとても難しい。起業とは、いわば答えの無いゲームだからだ。明確な方法論もない。

僕がよく起業家に言っている言葉だが、「バラけるな。起業家は吹けば飛ぶ」ということだ。

僕が「米を買いに行く」理由

投資家というのは、若い起業家たちからすれば、修学旅行における担任の先生のようなものだろう。起業家という「群れ全体」を少し引いた位置から見ながら、事故が起きたりしないよう、適度な距離感を持って見守り続ける。

言葉は少し悪いが、丘の上から羊の群れを見渡している羊飼いにも近いのかもしれない。そして、担任や羊飼いのパワーが発揮されるべきは、危機管理のときだ。

起業家という生き物はみな、極端な仕事をしている。たとえてみれば、ひとりの人間が100年かかってやることを3年でやろうとするような仕事だ。さらにその3年間で、一生分の金を稼ごうとする。それが起業家の日常業務だ。

そんな起業家にとって、健康はもっともおろそかになる。

何日もろくに飯も食わずに徹夜するやつなんてざらだ。当然、健康診断なんて行かない。メンタルを病《や》んでいても誰にも相談しないし、気づいてすらいない。

誰が彼らを過労死から守り、病気を予防できるだろうか？　彼らをずっと遠目に見守っているる、投資家しかいないのだ。

「おーい！　米、買いに行くぞ」

僕はしょっちゅう、こうして起業家がいるオフィスに声をかけて回る。社長もエンジニアも、インターンも全員だ。買うのは米とパスタとカップラーメン。贅沢品はダメだ。六本木のオフィスから今に続く、僕の恒例行事だ。

起業したばかりの頃は事業収入はほぼゼロと言っていいだろう。投資家からの事業資金からプライベートの資金も捻出《ねんしゅつ》しつつ、節約してなんとか生きている。煩悩《ぼんのう》だけは人一倍だが、経済的には修行僧よりも厳しい状況が、成功するまでずっと続くのだ。

事業が停滞し、事業資金も底をつくような極限状態になることも日常茶飯事《さはんじ》。まだ残り半月あるのに「今月の所持金あと2万円」というような、お先真っ暗なことも少なくない。こうした状況が続くと人はだんだん、生き物としておかしくなってしまう。食べ物が喉を通らなくなったり、人にやつあたりをするようになって引きこもってしまうようなことも珍しくない。だから僕は、彼らといっしょに米を買いに行く。

米さえ食っていれば、まず死ぬことはないからだ。

これは起業家の健康管理であると同時に、心の健康診断でもある。

想像してみてほしい。人生をかけて進めている事業が窮地《きゅうち》に陥っているとき、能天気に「米買いに行くぞー！」なんて突然言ってくる投資家に、君ならどう応じる？　もしも自分の事業がピンチだとバレたら投資を打ち切られるかもしれないと思って、適当な言い訳をして引きこもってしまうんじゃないだろうか？

実は僕は、そんなことは承知のうえで声をかけている。つまり、事業が停滞していて出てきにくそうにしているのは百も承知で、わざと無神経を装って米を買いに連れ出す。内に引きこもる前に、外へ引っ張り出すためだ。

僕のこれまでの経験上、事業の窮地に立たされながらでも買い出しに出てこられるやつというのは、精神的にタフなので大丈夫と判断できる。

米を買いに行く、つまり自分では食えない飯を他人に買い与えてもらうわけだから、それは人間として少し屈辱的な状況だ。そこに平然と出てくることができるのは、つまらない見栄やプライドを捨てて事業に没頭できている証拠でもあり、起業家としては、むしろいい状態なのだ。

さらに買い出しに行っているときに、商品棚を見て「この缶詰いいんじゃないの？」なんて言いつつ、「で、どうなの最近？」といきなり事業のことを聞いてみたりする。そのとき、どんな答え方をするか、どんな表情をしているかを実は徹底的に観察している。

即答で「頑張ってます」なら、わりと良い。「いやあ……」と言葉を濁《にご》して、事業の話をまったくしなくなるやつは、苦しんでいる。

失敗する起業家の代表格は、なんでも自分で抱え込もうとするタイプだ。心配や不安をぜんぶ自分の中に抱えてしまう。そうすると必ず失敗する。極端な仕事に、極端な精神的負荷が加わると、そこにあるのは死だけだ。

事業なら何度潰しても大丈夫だが、身体は一度潰れると取り返しがつかない。そのことを知ってもらいたくて、今日も僕は米を買いに行くのだ。

フェイスブックのメッセンジャーで「調子どう?」って、いきなり短いメッセージを送ったりすることもあるが、それも同じこと。べつに返事の内容が知りたいんじゃない。すぐにパッとレスポンスがあるかどうか、ちゃんと元気かどうかを見ているんだ。

起業というのはなんにせよどうせ大変なことをしなければならないのだから、僕の投資先にはせめて安らかに仕事をしてほしいと願っている。

投資家は、金を渡すだけが仕事じゃない。

大きくて難しい課題に対して、優秀で熱意のある人間たちが「戦い続けられる」ことをサポートするのが、本来の仕事だ。

君は天才に「おはよう」を言えるか

2017年末に僕は、6階建てのビル一棟をまるまる買ってインキュベーション施設をつくった。それが、いま僕らがいる、渋谷と表参道の中間にあるこのアジト「good《グッド》 morning《モーニング》 building《ビルディング》 by《バイ》 anri《アンリ》」(以下、good morning building)だ。

さすがにビルを購入するのには大いに頭を悩ましたが、投資先の群れをさらに上昇気流に乗せるため今やらねばと思い、エイヤの勢いで買ったのだ。

1階にはオープンテラスとミーティングスペース、サンドイッチも食べられるカフェがあり、1日1杯までならコーヒーが無料になる「アンリコーヒー」サービス付きだ。

これで起業家は、ひとまず死なない。

2階から6階までは起業家のためのオフィスになっていて、投資先が格安で入居できる。さらに屋上にはちょっとしたパーティができるスペースもある。ここで上場のパーティができる日が楽しみだ。

毎日の食卓にのぼるのは事業の話、明日の予定は新規事業のローンチ、1週間先には資金調達、1カ月先の未来には企業からのM&A(合併・買収)すらあるのが日常だ。ここに入居すれば、自分の起業家としての人生を、日常の隅々からイメージできるようになる。

スタートアップには快適すぎるんじゃないか？　と思うかもしれない。しかし、このアジトに入居する起業家には、精神的には非常にハングリーな生活が待っている。

good morning buildingへ入居すると、まず最初は机だけをシェアできる2階の大部屋に入ることになる。大勢の若い起業家たちと同じ部屋で事業開発にいそしむことができる。

事業が成長して追加の投資を受けられたりすると、3階に小さな個室を借りることができる。さらに成長すれば、上層階のより大きな個室を借りることが可能になり、そこも手狭になれば卒業だ。入居先の紹介も受けられるうえ、追加投資もついてくるかもしれない。

つまりgood morning buildingは、成し得た成功によって、階級が決まるようになっているのだ。成功するほどにいい場所で仕事ができるわけだから、これは非常に露骨《ろこつ》な評価システムだと言える。

下の階の起業家は、上の階の起業家に嫉妬するし、なんとしても這《は》い上がってやろうということになる。

さらにこのアジトでは、隣人が突如才能を開花させ、成功していくのを目の当たりにできる。

たとえば僕は2018年に、「現代の百貨店をつくる」と言う現役の東大生2人に投資して、このビルに入ってもらったが、彼らはここでギフトプラットフォーム「TANP《タンプ》」を開発、リリースし、東大もちゃんと卒業して、気づけば会社もサービスもどんどん大きくなって、月商数千万円。ついこの間、5億円の資金調達がニュースになったが、その期間たった1年半の出来事だ。

すでに彼らは、このビルからも爆速《ばくそく》で卒業してしまっている。

起業に年齢はまったく関係ないとはいえ、このあいだまで隣で作業していた20歳ちょっとの大学生が成功の階段を駆け上がって行く現象は、「成功してあたりまえ」というフリークアウトの六本木オフィスにも通じる空気感を生み出すとともに、起業家に強烈な嫉妬を抱かせる。

言ってみればクラスメイトが突然アイドルデビューするようなものだ。昨日まで地味なエンジニアだった起業家が、その日を境にアジトのカリスマになる。

この悔《くや》しさは、起業家にしてみれば地獄のようなものだろう。

そしてこのアジトの最大の魅力は、生身の成功者に「おはよう」が言える日常があることだ。

たとえばこのアジトでは、nanapi《ナナピ》の創業者として知られる「けんすう」こと古川健介《ふるかわけんすけ》が隣の席でワイヤーフレームを書いて、新しいウェブサービスをつくっている。ツイッターでキレキレのコメントをしているあの天才、けんすうが、実際に仕事をしているんだ。

試しにここへ来て、「おはよう」って話しかけてみるといい。彼もそれに応じてくれるし、仲良くなれば馬鹿話だってする。

いいか、僕が言いたいのは彼を客寄せパンダにしたいってことじゃない。起業家にとって、天才を自分の中で偶像化しない経験を積むことはとても重要だということだ。成功するということは、君もいつか、そうした天才と呼ばれる仕事をするということなのだから。

けんすうって、こうやって手をかざすと魔法みたいにウェブサービスができていく、そんなイメージあるだろ？　努力することなく、なんでもできる。なぜなら、天才だから。

でも、天才だって接してみれば普通の人間なんだ。普通に努力しているし、オナラだってするし、君と同じ食べ物が好物かもしれない。

隣の席に天才がいる。この環境は君を天才にするかもしれない。僕があの六本木オフィスで目の当たりにしていた空気はまさにこれだったからだ。

君は今、この「場所」がとても魅力的で刺激的に思えただろ？

でも、ひとつ断っておく。ある程度の成功をした起業家からはこの環境が、やはり非常に残酷で過酷な場所に思えるんだよ。なぜなら君がもしここに来たら、君は、彼ら成功者を二度と天才と呼べなくなるからだ。

君と天才は、お互いに一起業家となり、ただの同業者になる。

天才という言葉は便利なものだ。「あの人は天才だから成功した」と口にしてしまえば、自分とは関係がないことになる。その人が必死で努力していることを簡単に無視できてしまう。それに自分に何かが成し遂げられなかったときには「自分には才能がなかった」と言ってしまえば、自分が傷つくこともない。

でも実際はそんなことはないんだ。けんすうも必死で悩んで、毎日、試行錯誤している。君の何百倍も考えて、何十倍も実践している。そして君は、彼のような天才の仕事に、一切太刀《たち》打ちできないだろう。

そうした現実に触れてもらいたくて、彼にはここにいてもらっているんだ。

天才を「天才だ」って棚上げできなくなったとき、君は自分をどう捉《とら》えるだろう？　そしてそこから、君はどうする？

それでも君は天才に「おはよう」を言いたいか？

であればここまで来るといい。

この宮益坂の上の、さらに先にある、スタートアップの新たな爆心地へ。

DAY 2

場所論まとめ

- 人間は「場所」でしか変われない。
- 自分にとって「正しい場所」がどこか、常に見極めろ。
- ただ「そこに」いて、平均点をとればいい。
- 天才を特別視せず、天才と呼ばれる仕事をしよう。

DAY 3

成長しなければ、死ぬ

美しき「循環」

僕が、ベンチャーキャピタリストという仕事を知ったのは、本当に偶然だった。

経済学部生として東南アジアのゼミに所属していた大学3年生の僕は、将来どんな就職先があるのだろうかとふと思って、リクナビで「アジア」と検索してみたんだ。

すると一番上に出てきたのが、「日本アジア投資株式会社」だった。

特に深く考えもせず説明会に参加した僕は、そこで初めてベンチャー投資というものの存在を知り、大きな衝撃を受ける。

なんて……、美しいのだろう……。

「預かったお金を、イノベーションを起こすことで大きくし、お返しする」仕組みに、なんとも言えない「美」を感じたんだ。

それまで「投資」と聞いても、お金でお金を生む行為くらいにしか考えていなかった。

でもベンチャー投資というのは、年金や大学基金のように社会的責任のあるお金を預かり、それを新しい産業をつくる若い人たちに託し、事業が成長することで大きくなって戻ってくる「循環」なんだということを知り、金融的に見て非常に気高《けだか》い行為なのだと興奮したことをよく覚えている。

今の僕の会社「ANRI」のロゴは、まさにその美しい循環の輪っかを、そのまま形にしたものだ（254ページの僕のプロフィール欄にロゴを掲載しているから、見てみてほしい）。

とても美しいだろ？

このロゴは、僕のちょっとした自慢なんだ。

とはいえ、この循環が成り立つためには、絶対に欠かせない条件がある。

「成長」だ。

成長という原動力がなければ、この美しい輪っかは微動《びどう》だにせず、出資者も投資家も起業家も社会も、誰も幸せにはならない。価値を生み出し、事業を大きく成長させるというのは、この循環に関わるものとしての最低限の責任なんだ。

だからスタートアップの起業家には、常に理屈や能書きや努力なんかよりも、成長が求められる。それは、幻冬舎《げんとうしゃ》の社長、見城 徹《けんじょうとおる》氏の言葉を借りれば、「暗闇の中でジャンプ」するようなものだろう。

君もちょっとやってみてほしい。部屋の電気を消して真っ暗にし、全力でジャンプするんだ。

これがむちゃくちゃ怖い。よく知っている部屋であっても、明るく、どこに何があるか見えている状態とは違い、人はうまくジャンプできないし、着地もおぼつかない。

起業家は、右も左もわからないなかで事業を成長させることが求められる。それは暗闇の中でジャンプしているようなものなのだ。さらに起業家は、事業を成長させ続けることができなければ、そこで終わるのだ。

そして投資家は、そんな起業家の成長にかけることでファンドを運用している。投資する事業が伸びなければ、そこで投資家も終わる。

起業家が死ねば、投資家も死ぬ。

出資者のお金も、死ぬ。

美しいとか美しくないとか言っている場合じゃない。

起業家と投資家は、やっている仕事は違うけれど、成長しなければ死ぬという点では同じだ。お互い、ピョンピョン、ピョンピョン、ビビりながら、ずっと暗闇でジャンプし続けているんだ。

「頑張る」と「成長」は別

ここで、成長できなかった起業家の話をしたいと思う。

僕のファンドで、清算《せいさん》、つまり投資先の会社をたたんだ経験が一度だけある。

その起業家には、僕の「1号ファンド」（1番目につくったファンドのこと）で投資を行った。

起業当初は22歳の学生だった。彼は5年間、自分の人生をかけて事業を続けた。

2年目の頃には一度会社が潰れかけた。でも彼はどうしてもその事業が続けたくて、とある実業家に「赤字事業を買ってくれないか」と持ちかけた。しかし彼の交渉は失敗した。本人から聞いた話だが、「甘えるな」と、大いに説教を食らって帰されたそうだ。

そこから彼は一念発起《いちねんほっき》し、事業を再建した。たいしたものだ。だが、そこで彼は悟った。

そこから先にはもう進めないということを。

もちろん僕は彼にピボット（現在進めている事業をやめ、別の事業に転換すること）を何度も勧めた。

しかし彼は自分の事業を最後までけっして手放さなかった。

清算後に行った会食で「またの機会に起業したい」と言う彼に、僕は心ばかりの祝い金を手渡した。結婚してこれから子どもも育てなければならない身なのだ。

君はどう思う？　彼は5年間もひたむきに努力を続けた。

彼は成長したと思うか？

僕は「君が頑張っていたのは誰よりも知ってるよ」とだけ彼に伝えた。本心だ。

でも、言えるのはそれだけだった。

彼が事業を通して経営者として成長したとは言えなかったし、微塵《みじん》もそう思えなかった。

「5年間もやって会社を清算したのなら、いろんな失敗や挫折を経験して、人間的には成長したに違いない」と君は思うかもしれない。

しかし残念ながらそんな成長はまやかしだ。

勘違いしてはいけない。「頑張る」のと「成長する」のはまったく別のことだ。起業家の大義は事業を成長させることだ。なにせ、投資を受けた以上、他人のお金を使って事業をやっているんだ。頑張っても事業が成長しないのであれば、その頑張りは無意味である。

起業家は、事業の成長に対して意味のある努力をするために、意味のない努力をしない決断をしなければならない。

彼はその決断ができないまま、事業をたたんだ。彼の5年間での経営者としての成長は、残念ながら「ゼロ」だ。

べつにスパルタ的に言っているのではない。

事実として、彼の成長は皆無《かいむ》なんだ。

起業家の成長とは、事業の成長のみ

起業家は、事業によってのみ成長する。

事業が伸びなければ3年やっても、30年続けても、3分しかやっていなくても大差ない。

どれだけ時間をかけても、身を削っても、形にならない成長なんてすべてまやかしなんだ。

なぜなら起業家は、経営者となるための成長機会を、事業の成長からのみ得ていくからだ。


たとえばわかりやすいのが、社員との対話だろう。

スタートアップは最初、自分と共同創業者だけの、言ってみればちゃぶ台を囲めるような人数で始まる。そのときの対話は、個人間のみで行われる。

しかし事業が伸びれば当然、それだけの人数ではやりくりできなくなるので、営業担当やエンジニアを雇うことになる。社員数が30人くらいになると、経営者がそれぞれ個別に対話ができる限界に達する。すると経営者には「組織と対話する」という能力が求められるようになる。数人規模であった創業当初の個人間の対話とは違う言葉で話さなければならなくなるのだ。

たとえば朝礼でのあいさつや、全体会議での発言だ。

それらの言葉が、社員30人全員に、自分に直接対話してくれているような〝響き〟を持っていなければ統率がとれなくなり、事業は停滞するか、シュリンクしていく。

さらに事業が成長し、１００人くらいの組織になると、自分の代わりに組織を管理できる役員やマネージャーを採用することも必要となってくる。

この人選も非常にシビアだ。さらに成長していくためには、自分より優秀な人を採用していかなければならない。

そして、いよいよ会社が１００人以上に成長してくると、今度は、社長である自分が「いなくなっても回る仕組み」というものをつくっていかなければならなくなる。スーパー個人《こじん》技《ぎ》ではなく、法人としての組織の力が問われる段階であり、上場などに向けて「自分が頑張らなくても（万が一死んでしまっても）淡々と伸びていく」組織をつくるのだ。


このように、事業が成長するにつれて、起業家の目の前には経営者として考え、決断を下さなければならないイベントが次々と現れる。

会社というのは生き物だ。子育てと同じで、事業が成長するために必要な、特定の時期に起きる出来事、やらなければならないことがおおよそ決まっている。それらのイベントをまるでチェックボックスにチェックマークをつけるようにひとつずつこなしていくことで、起業家は経営者としてのスキルとマインドを成長させていくというわけだ。

ところが事業が成長しなければ、これらのイベントは発生しようがない。ドラクエで、ずっとはじまりの街の周辺でスライムだけを倒している感じだ。レベルは5で止まり、魔法も使えなければ、中ボスにも仲間にも巡《めぐ》り会えない。事業の成長が止まれば、起業家の経営者としての成長はそのフェーズに留まらざるをえないのだ。

これが、事業の成長と起業家の成長が連動する理由である。

世間では、どこか人間的な成長が事業を成長させると考えられているところがある。つまり、メディアなどに登場する社員思いの社長や「ソーシャルグッド」を標榜《ひょうぼう》する起業家のような、優れた人格の持ち主が事業を成長させることができるという考え方だ。

そういう存在自体を否定することはしないが、順序としてはまず事業の成長が実現されてこそ、人間的な成長がある。

さらに言えば、事業さえ伸ばせば、誰でも、どんな人格だって成長できる。なぜなら、ちょっと身《み》も蓋《ふた》もない言い方になってしまうが、合理的に考えて、事業を伸ばし続けるためには人格者であったほうが、はるかに「お得」だからだ。

何十人もの社員をマネジメントしたり、社外の人に協力してもらったり、ユーザーに納得・賛同してもらってサービスを使い続けてもらうには、必然的に起業家は「良い人」にならざるを得ないとも言えるだろう。

つまり、どんな人間だろうと、事業が伸びていれば、それに適合した人格になっていくのだ。発言も社会性を帯《お》びてきて、顔つきも一起業家から一経営者へと確実に変化していく。

でもそれは、合理的な結果としてそうなるのであって、道徳なんかとは一切関係のない話だ。


断言しよう。

成長する事業が優れた人格をつくる。

その逆はない。


投資家というのは、事業に投資しているように見えて、実は起業家の成長機会に投資をしている。よって、事業が伸びず起業家が適切な成長機会を得られていない場合は、それを指摘し、改善策も提示する。

たとえば僕の投資先の起業家が最近、こんな相談をしてきた。

「事業があまり伸びておらず、ついに共同創業者が会社を去りたいと言い始めた。アンリさん、僕はどうすればいいでしょうか？」

僕の答えは明確だった。

「君が伸びる事業をつくれないのであれば、共同創業者には、事業が成長している他の会社に移ってもらうほうがいいだろう。君には悪いけれど、彼の成長機会を考えればその選択がいいと思う」

非常に残酷な答えだ。

相談に来た彼自身も、数々の投資家に注目される優秀な起業家だった。おまけに彼と同時期に起業した起業家はみな、なんらかの成功をつかんだ者ばかりだ。志を同じくした唯一の仲間が去るという状況の前に、彼が焦《あせ》るのも無理はない。

しかし現実は現実だ。

彼が人生の貴重な歳月とお金をかけてやってきたことは、伸びないという結果に行き着いた。これは誰のせいでもない、結果なのだ。たくさん会社を見てきた経験から、「そういうものだ」としか言いようがない。

そして共同創業者であっても、一起業家だ。優秀な起業家が成長機会の得られない組織に属していることは、投資家の視点から見ればなんのメリットもない。

成長できる正しい場所にその彼を導くことが、この場合の唯一の改善策だ。

いいか、結果を受け入れず、人間的な成長とか美学やビジョンなど、あやふやなものを相手にしている起業家は、いつまでも成長しない。

事業の成長のみが起業家の成長だと割り切り、成長機会を求め続けていくのが起業家として正しい選択なんだ。

起業家は、天才でも「打率3割」

起業家はときとして判断を誤り、意味のある努力ができない。

なぜだろう?

多くの起業家と会ってきた経験から言えば、その原因は単純に事業経験の少なさにある。経験が少ないために事業がどのように成功するか、あるいは失敗するかを予測することができない。それゆえに誤った判断をしてしまう。

F1カーに乗って、はじめて周るコースを爆速で走っているようなものなのだ。スピードを間違えてコースアウトもするし、アクセルを踏むべきところでブレーキを踏んだりもする。

その一方で、経験が少なくても、たとえば最初の起業においてでさえ、非常に的確な判断をくだす起業家もいる。

この差はいかにして生まれるのだろう?

結論から言えば、判断を誤る起業家ほど「1分の1の成功」を前提に起業している場合が多い。つまり目の前の、今ある事業で成功することしか考えられていないということだ。そして「アンリさん、ぜんぜん事業伸びないっすわ」（まあそうハッキリ言ってくる起業家なんてほとんどいないが）と冴《さ》えない調子で悩み、無意味な努力を重ねることになる。

よく考えてみてくれ。あのイチローでも、打率は約3割だったんだぞ。天才だって3回は打席に立たなければヒットは打てないということだ。

起業家も同じである。

天才的な起業家でも打率3割。大成功した起業家というのは、とにかく3回、むしろそれ以上、事業をやるという行動を起こした者ばかりだ。

あのユニクロの柳井《やない》さんも失敗しまくっているし、メルカリの山田進太郎さんも、ウノウという会社を経営していたときの、映画サイトやフォトサービス、携帯電話向けの無料ゲームなどいろんなサービスをつくってみてはうまくいかないという「黒歴史」を経て、メルカリにたどりついている。

僕の投資先では、今やフォーブス誌の表紙を飾るまでになったラクスルの松本恭攝《まつもとやすかね》も、印刷のサービスで3回事業のピボットを経験して、現在のビジネスに行きついた。

もしも今、事業が停滞し、無意味な努力に時間を費やしているとしたら、「イチローにだって冴えない試合はある」と割り切ること。そして伸びない事業に見切りをつけ、次の事業に進むための行動を起こすこと、つまりピボットの時期にきていると思うといい。

起業した当初の事業を捨てて、新たな事業をスタートさせるピボットは、起業家にとってマイナスイメージに捉えられることが少なくない。

初志貫徹《しょしかんてつ》の美学をみな信じたいわけだ。

最初に描いたビジョンや、多くの人に伝えてきたパッションを、大切にしたいわけだ。

しかし理想と現実は違う。インターネット上の伝説的なサービスの多くも、ピボットによって生まれているのが現実だ。

たとえばツイッターの前身は「Odeo《オデオ》」と呼ばれるジョークなどをアップするマイクロブログのサービスだったし、ユーチューブはデート相手のマッチングサービスが発端《ほったん》だ。

「1分の1の成功」にとらわれる気持ちはわかる。これまで人生をかけてつくってきた会社が思ったほどうまくいかなかったり潰れかけているときは、本当につらい気持ちになるし、固執《こしつ》したくもなる。

もう少し続ければブレイクするという妄想に、すがりたくなる。

でもそんなときこそ、「アンリとかいうやつが『天才でも打率3割』とか言ってたなあ」と、騙《だま》されたと思って次の打席に立ってほしい。

たとえば投資先の「ママリ」は、ピボットによって急成長したコミュニティサービスだ。女性の妊娠から出産、子育てから教育のお金のことまで、「ママ」が必要とする情報を幅広くカバーする唯一のサービスであり、体験談から医学的見地に立ったアドバイスまで、これさえ読んでいれば「妊活・育児」のすべてがわかるように編集されている。

２０１６年６月、ＫＤＤＩ傘下のSupership《スーパーシップ》ホールディングスがママリの運営会社コネヒトの株式を１００％取得し、子会社化した。買収額は公表されていないものの、２０１６年の大型買収のひとつに数えられる額と言っていいだろう。

しかしママリの創業者・大湯《おおゆ》俊介《しゅんすけ》とそのパートナーは、ものづくりに携《たずさ》わるクリエイターのためのオンラインギャラリーサービス「Creatty《クリエッティ》」というサービスで起業している。僕は２０１２年、孫泰蔵《そんたいぞう》さんが主宰《しゅさい》する「MOVIDA JAPAN《モビーダジャパン》」の勉強会にアドバイザー役として参加したときに、彼らに出会った。

Creattyのビジネスモデルは、クリエイターが自らの作品を展示・共有できる場をインターネット上につくることだ。彼らは言ってみれば、インスタグラムのクリエイター版をつくろうとしていた。さらに、ゆくゆくは作品の売買を行うことも視野に入れていた。

スマートフォンが普及した今なら誰でも思いつきそうなアイデアだが、彼らはiPhoneの「３ＧＳ」が発売された２００９年頃から、スマホが普及したあとの世界を見据えて開発を始めていたのだ。

目のつけどころは悪くないが、この事業はうまく進まなかった。クリエイターのコアなファンの心はつかんだものの、ユーザーがまるで増えなかったのである。

僕が彼らに投資しようと決めたのは、Creattyが立ち行かなくなり、彼らがサービスを停止し、大湯が突如「健康をテーマにしたブログサイト」を始めると言ってきたときのことだった。

アートのことをやっていた起業家が、ある日突然、健康志向のブログを始める。

普通に考えれば誰しもこう言う。

「正気か?」

僕が投資した理由は、大湯が「健康」を事業に選んだからではない。彼らがピボットを決意し、次の打席に立とうと行動したからだった。

正直なところ、彼らがCreattyをやっていたとき、僕は彼らの事業を「早く終わらないかなあ」と思って見ていた。起業には、耐えたほうがいいことと、耐えてもあまり先がないことがある。彼らのCreattyは明らかに後者の状況に陥っていた。事業資金が底をつき、ウェブサイト制作などの受託案件でしのぎながら、伸びないサービスを必死で守ろうとしていた。

自分たちが命がけで起業して、最初につくった事業、というある種の事業への〝愛〟が、スタートアップ本来の目的である事業の成長を阻《はば》んでいたのだ。

その中にいて、自分で次の打席に立つことを決断できた彼らに、僕は起業家としての凄みを感じた。

さらに僕は、新しい事業が当たらなくてもいいとすら思って投資していた。

僕は事業ではなく、起業家としての彼らに投資をしたんだ。

最初に出会ったとき、彼らは全然冴えない、見るからに弱そうなメガネ男子2人だった。しかし話してみると、彼らの返答は常に鮮やかだった。僕がサービスについて気づいたことを指摘すると、「それについてはすでにいくつかパターンをつくって『A／Bテスト』で検証しています」といった、具体的に考え、行動した答えが返ってくる。事業の分析能力と遂行《すいこう》能力が非常に高い。いつか〝化ける〟、彼らはそんな可能性を感じさせた。


大湯がピボットを決意したときに考えたことは、「20年後にフェイスブックはなくなるかもしれないが、健康について調べる人はいなくならない。インターネット上の調べやすい健康情報には大きな価値がある」ということだった。

誰しも経験があることだが、風邪以上の病気になったとき、最近は医者に行く前にインターネット上の情報で下調べをする。しかしそれらの情報はまったく整理されておらず、医者レベルの知識がなければ読み解けない情報と、読みやすいが正確ではない患者の個人体験談レベルの情報が混在している。

大湯はこれらの情報を調べやすくすることに、大きな価値があることを発見した。

さっそく彼らは「健康生活ラボ」という謎のウェブサイトを誕生させた。そして、エンジニアすらも総動員し、記事を量産し、わずか1カ月間に400もの記事をつくったのだ。

あたりまえだが、「健康生活ラボ」は読まれなかった。

身体は小宇宙と言われているように、書くことは無限にある。数人のスタートアップが総当たり戦を挑んで勝てるわけがない。しかし彼らの凄みは、そこで「問い」を進化させたことだった。健康情報を求めている読者にもっとも読まれ、インターネット上に不足している情報は何かを考えたのだ。

彼らは持ち前の分析能力を駆使し、読まれる記事を徹底的にリサーチした。すると、「陣《じん》痛《つう》タクシーを提供しているタクシー会社まとめリスト」がもっとも読まれていることに気がついた。妊娠・出産は多くの女性が経験する人生のイベントだが、女性が自らの身体のことを知り、悩みを解決できる場がインターネット上に不足しており、多くの人が困っていたのだ。

大湯らは、「健康情報を求めている読者にもっとも多く読まれるものは、安心して調べられる〝出産・育児〟情報である」という仮説の検証に集中した。

そうして今のママリの原型が誕生したのだ。

伸びない起業家は、スタートアップと名乗るな

僕が伸び悩む起業家をピボットに誘う理由は、起業家の成長のためという以外に、もうひとつある。

それは起業家を「リビングデッド化」させないためだ。

事業を成長させられず、資金が尽きて死ぬ起業家はまだ潔《いさぎよ》い。次のチャンスもあるだろう。しかし死ぬに死ねない起業家、つまり失敗すらできない状況にいる起業家は、もっとも残酷でタチが悪い。


スタートアップ界隈では、世界を変えるほどの大きな目標を持っていた起業家が、気づけばずっとスモールビジネスをしている、ということがよくある。

事業が伸び悩み、利益が出せないとなると、起業家は大企業からの受託案件などで人件費や事業費用を賄い、会社の経営を維持しなければならなくなる。

スタートアップとしてベンチャーキャピタルから投資を受けられるような起業家であれば、

優秀なのでウェブサイト制作などの受託なんて朝飯前だ。瞬く間に仕事がたくさん来て、忙しくなる。すると数字上、メイン事業は伸びていないものの、会社の経営自体はうまくいっているという奇妙な状態になる。

一見、悪くないように見えるだろ？

しかし、この状態は起業家にとっても、ベンチャーキャピタリストにとっても最悪なんだ。なぜならその起業家はすでにスタートアップなどではなく、インターネット業界におけるスモールビジネス、「ウェブサイト制作屋さん」にすぎないからだ。

投資家としては、どこにでもいるウェブサイト制作屋さんには投資するだけ時間の無駄だ。スタートアップの起業家の使命は、事業を圧倒的に成長させること。スモールビジネスのように、最初から天井の決まった成長を目指すものではけっしてない。

さらに厄介なのは、起業家がその「経営を維持するだけ」の状況から抜け出せなくなることだ。受託案件をやめた瞬間に経営が悪化するから、もはや止められないし、断れない。いつのまにか、受託案件をこなすことだけにリソースが割《さ》かれ、世界を変えるはずだったメインの事業はお座《ざ》なりになる。

こうしたスモールビジネス屋が、スタートアップを名乗って、対外的には事業がうまくいっているかのように振る舞っているケースが、実はたくさんある。

失敗が怖いのだろうか。

人から良く思われたいのかもしれない。プライドが高く、チヤホヤされる「起業家」という名にすがっていたいのかもしれない。

成長しない事業や会社は、何度潰しても良い。しかし、見栄やプライドにすがって、自分や他人をごまかし、成長にこだわれない起業家は、事業としては死んでいなくても、起業家としてはもう死んでいるんだ。

体はあっても、もう魂はゾンビ（リビングデッド）のように存在していない。

覚えておいてほしい。

起業家の死とは、けっして資金が尽きることじゃない。

挑戦をやめること、なんだ。

誰よりも成長した男

ここで、誰よりも「成長した」男の話をしたいと思う。

僕のファンドは、キャピタルゲインにおけるギネス的記録を持っている。

現在9年目を迎えている「1号ファンド」は、合計18社に投資し、その半分が上場・買収といった「イグジット」、つまり投資案件としての成功を果たしている。

約4億円のファンドが、93億円の価値に（２０２０年5月現在）。これは、自分で言うのもなんだが、なかなかスゴい数字だと思う。

そのなかで、もっとも桁外れの事業的成功を果たしたのは、ユーチューバー向けのマネジメント会社「ＵＵＵＭ《ウーム》」を起業した鎌田和樹《かまだかずき》だ。

２０１７年にＵＵＵＭは東証マザーズに上場を果たしたが、そのキャピタルゲインは57億４６００万円だった。ＡＮＲＩの合計投資額は約２２００万円だったから、資産価値としては約２６０倍だ。ＩＲＲ（内部収益率）は、一般的にファンド全体で20パーセントも出せば優秀と言われるなか、ＵＵＵＭだけを見ると、なんと2万３８５５パーセント。

この記録もまた、なかなか破られることはないだろう。

僕が鎌田と出会ったのは２０１３年のことだった。

今だからこそ、ユーチューバー向けのマネジメント会社があっても不思議はない。実際いくつもの会社が存在している。しかし当時は、ユーチューバーに夢中になり、それを将来の自分の夢に掲げる10代の若者の姿なんてほとんど見かけなかった。

「ユーチューバーでビジネスをやろうと思うんです」

カフェで出会った鎌田はそう僕に言い放った。その目は確信に満ちていた。

一方の僕は、まったくわからないというのが正直なところだった。

ユーチューブで遊んでいるだけの人たちに、いったい何を足せば巨大なビジネスになるのか、見当もつかなかった。

しかし目の前にいる鎌田からは、異常なポテンシャルを感じていた。インドア派のインターネット系起業家とはまったく異なる、百戦錬磨《ひゃくせんれんま》の軍人のような匂《にお》いがしていたからだ。

鎌田は、19歳で大学を中退している。その後、業界では名の通った超スパルタの通信会社に入社。20歳で総務を担当し、通信費など月間約6億円を管理する職に就《つ》く。23歳には出向先で部下500人を率い、27歳で最年少執行役員に。子会社の社長職にも就く。

過酷な生存競争を勝ち抜いてきた、まさに軍人のような男なのだ。


その鎌田が「ユーチューバーがビジネスになる」という仮説を思いついたのは、ユーチューブで生活している人、のちに共同創業者となるHIKAKIN《ヒカキン》との出会いだった。声と口の動きだけをつかって電子音のような音やビートを刻む「ヒューマンビートボクサー」として知られ、ロックバンドのエアロスミスや、ミュージシャンのアリアナ・グランデとも共演していた。

2013年当時、すでにHIKAKINは「HikakinTV」というチャンネルをユーチューブ上で持ち、50万人ものチャンネル登録者がいた。そして鎌田がなにより驚いたのは、HIKAKINのもとに有名な大企業から商品プロモーションの依頼がいくつも舞い込んでいたことだった。

鎌田の初期のビジネスモデルは、インターネット版の「ジャパネットたかた」をつくること。つまり、ユーチューバーをつかってインターネットでものを売る、Eコマース事業だったのだ。

ユーチューバーによる製品の使用レポート動画が見られ、かつその場で商品を購入することができるECサイト、その名も「ON SALE《オンセール》」。ユーチューバーは商品の売れ行きに応じて利益配当を得る仕組みだ。

僕は鎌田の成長に将来性を感じて、ON SALE株式会社に投資することにした。2013年8月のことだ。

かくしてユーチューバーで仕事をする日々が始まった。

鎌田には、前職で鍛え上げられた持ち前の営業力があり、商品の供給元となる取引先企業を連れてくるのはうまかった。大手家電メーカーや携帯ショップなど、起業したばかりのスタートアップにしては名の通った取引先がずらりと並んだ。「HIKAKINステッカー」など、購入時の特典も用意して、サイトはオープンした。

しかし、このビジネスは失敗に終わる。鎌田にインターネットのビジネスセンスがまったくと言っていいほどなかったからだ。サイトの運営やソーシャルメディアをつかった広報作戦などの取り回しがド素人だったのだ。

ものは売れないし、売れたとしてもうまくハンドリングできず、もどかしい時間だけが流れていった。

起業3カ月目、たちまち事業は停滞し、鎌田はビジネスを再考する。

UUUMの転機は、奇《く》しくも鎌田自身がインターネット系の起業家ではないことから始まる。アクセスを上昇させるためのキャンペーンサイトをつくったり、広告を使ったりといった方向へは行かず、ユーチューバーの仕事環境を整備するためのマネジメントが、ビジネスにおけるボトルネックになっていることに気がついたのだ。

HIKAKINをはじめ、ユーチューバーはネットの世界でこそ、数十万～数百万人というファンを抱えるインフルエンサーだ。その一方でセルフマネジメント力においては現実世界の一般人以下、という人が多い。彼らは年齢も若く、会社で働いたことがない場合が多く、まともに仕事をした経験も少ないからだ。

それゆえ彼らは、自分が不利にならないよう交渉したりすることができず、負荷の少ないワークフローを組むこともできない。そうした弱みにつけ込まれ、タチの悪い契約をさせられるといったことも起きていた。

マネジメントを一流にすれば、ユーチューバーは一流のクリエイターになれる。

それが鎌田の仮説であり、ＵＵＭの勝機だった。

この着眼点に、インターネットはほとんど関係ない。彼の総務担当や経営者として培った観察眼がものを言ったわけだ。彼は自分の考えた事業に失敗しつつあっても、ユーチューバーにブレイクスルーを起こすために何が必要か、常に見極めようとしていたのだ。

２０１３年10月、たった４カ月でON SALEは社名をＵＵＭに変更。ＥＣ業からマネジメント業へと、大転換を行う。

ちなみに新しい会社名は「うーむ」と唸《うな》りながら社名を考えていたことが由来なのだそうだ。

以降のＵＵＭは、文字通り右肩上がりだった。

翌年には広告代理店からの仕事を数多くこなしながら、エイベックスとの提携を実現。さらには起業からわずか1年３カ月でオフィスを六本木ヒルズへ移す。最大の提携先であるグーグルに、階段を上れば１分という距離にオフィスを置いた。しかもグーグルの上下階に入居し、まさかのサンドイッチ状態だ。

そして瞬く間にＵＵＭのユーチューバーによる動画の１カ月間の総再生回数は３億回、総視聴時間は10億分を超え、所属ユーチューバーは百数十人に達した。日本におけるユーチューブの動画再生数の数パーセントをＵＵＭが独占するようになった。

そして、２０１７年８月に上場――。


わずか４年で上場するほどのスピードを実現したのは、マネジメントがボトルネックだと見抜いた先見性もあるだろう。しかしそれにも増して、僕を含む多くの投資家は、鎌田は経営者としての能力で成功したと話している。

何をやらせても成功してしまうような経営者が、とんでもなくブレイクする事業をつかんでしまった。それが鎌田だ。極論すれば鎌田はきっと、たこ焼き屋や八百屋など、ありきたりな商売でも上場することができるだろう。

彼の凄みは、誠実さと、それを支える尋常ではない仕事力である。彼はどんな人と接するときも徹底的に腰が低く、けっして締切や約束を破らない。自分が一度決めたことは、必ず実行する。誰にも「この人の頼みは断れないな」と思わせるところがある。

朝にユーチューバーに会いに山形県へ行き、昼食を食べ、夜まで話し込み、いっしょに飲んで契約を取りつけ、そのまま日帰りする。さらにそこから残った仕事に取り掛かる。彼はこの仕事を、日課のようにこなしている。それも、まだ世間の誰もがユーチューバーを知らなかった頃から、上場し、現在に至るまで、ずっとだ。

鎌田の努力に支えられたＵＵＭは、世界をも驚かせている。

２０１９年初旬、鎌田は世界中の機関投資家と会ってきたという。そのとき、ほぼ全員に聞かれた質問が「どうして日本ではＵＵＭのようなビジネスが実現できるのか？」だった。アメリカにはすでに数十社のユーチューバー向けの競合プロダクションが生まれ、潰し合いになった結果、すべてが儲かっていないという。しかし日本ではＵＵＭ一社がほぼ独占し、莫大《ばくだい》な利益を出している。この不思議に、機関投資家たちは「いったい日本はどうなっているんだ？」と首をひねっているという。

日本ではない。ＵＵＭがすごいのだ。

黎明期《れいめいき》から市場を独占し、代理店業ではなく、事務所として、誠実にユーチューバーを育ててきた。この奇跡こそが鎌田がその人間力で生み出したものであり、誰にも真似できないことなのだ。

起業家が経営者に成長する、上場の日

2017年8月30日、真夏のさなかにUUUMは東証マザーズに上場を果たしたが、その日僕は、とてつもない嬉しさと共に、一抹《いちまつ》の寂しさも感じていた。

取引開始の初日に開催される「上場セレモニー」に参加するため、僕は慣れないスーツを着て、タクシーで東京証券取引所に向かっていた。

そのときふいに、通りに面した雑居ビルの窓を見つめている自分がいることに気づく。賃料の安い雑居ビルというのは、どうにも変な名前がついている。ビルとは呼べないほどの低さを誇る「○○ビルヂング」やら、ググるまで意味がまったくわからない「○○コーポラス」といったネーミングのものが多い。

ほとんどの起業家は、そんな雑居ビルから起業家としての第一歩を踏み出す。

多くの場合は自宅兼オフィスで、みんなで雑魚寝《ざこね》して、何度もケンカして、まるで文化祭前夜のような日々を送る。

あの雑居ビルにも、そんな熱いやつがいるのかな？　なんて思いながら見てしまう。

そのとき、起業家と並走してきたこれまでが、走馬灯《そうまとう》のように脳内で再生されてゆく。

ずっと成功を夢見て走り続けてきたふたりの、始まりであり、終わり。

実は上場というのは、投資家にとっては少し複雑な感情が交錯する時間なのだ。

なぜなら上場は、起業家にとっては新しいビジネスステージの入り口である一方、投資家にとっては、これまでの投資を回収する〝出口（イグジット）〟なのだから。

投資家のビジネスモデルは、企業の株が安いうちに買い、成長して高くなってから売ることによって利益を得るというものだ。

ベンチャーキャピタルはお金を出す見返りに、そのベンチャー企業が発行する「未公開株」を譲り受ける。これらは証券取引所で売買できる「公開株」ではない「まだ値段のついていない株」だ。

未公開株は、ベンチャー企業が業績を上げてゆき、上場し、証券取引所で取引が始まって、はじめて値がつけられる。そのときベンチャーキャピタルは保有している株を売り、これまでの投資金額を回収し、大きなリターンを得る。

これを、株式公開によるイグジットと言う。

タクシーで日本橋兜町《にほんばしかぶとちょう》にある「東証Arrows《アローズ》」に到着して、受付を済ませる。控室に行くと、起業家を含むいつものメンバーも、似合わないスーツを着てニヤニヤ笑っている。「おめでとうございます」なんてあいさつをしながら、懇談会《こんだんかい》やらを済ませる。

セレモニーを飾るメインイベントは、テレビなどでもよく中継される、東証Arrowsの中にある「上場の鐘《かね》」を打ち鳴らす打鐘《だしょう》だ。鐘は「五穀豊穣《ごこくほうじょう》（穀物が豊かに実ることを指し、豊作の象徴とされる）」にあやかって、5回打ち、上場が告げられる。

大成功したUUUMの上場には、通常ワールドビジネスサテライトくらいしか取材に来ないところ、キー局のニュース番組のすべてが駆けつけた。東証も特別対応で、2階のVIPテラスにある鐘をわざわざ1階のロビーに下ろして打鐘のセレモニーが行われたが、そんなことは日本郵便の上場以来だという。

打鐘は何度経験しても、めちゃくちゃ嬉しい時間だ。

マンションの一室で雑魚寝しながら事業を始めた起業家が成長して、オフィスビルの高層階に事務所を構え、上場の鐘を打ち鳴らす。

その先の希望はなんだろうか？

さらなるグロースか？

世界進出か？

なんだっていい。夢は広がるばかりじゃないか。

一方の投資家は、その鐘の音を晴れやかな気持ちで聞きながら、「初値《はつね》はいくらかな？」

なんて思ったりもしている。時間的に終わりが近づいていることを、ふと思い出してしまうんだ。

投資家の仕事というのは、起業家が未熟で、事業が初期段階であるほど大変で、何度も笑って泣ける瞬間がある。

でも、起業家が成長し、自分の力で事業を動かしていけるようになるほど、投資家のやることは少なくなる。特に鎌田のような男だと、投資家にできることはほとんどなくなる。

その最後のピリオドが、打鐘なのだ。

それを何度も経験していると、鐘の音を聞くことすら少し億劫《おっくう》になる。

事業が成熟するにつれ、場合によっては投資家と起業家が離反《りはん》することもある。

たとえば「低い株価でもいいのでいったん上場しようか」という起業家と「高値がついてくれないと儲からないから困る」と考える投資家の間で、齟齬《そご》をきたしてしまうといったことだ。

寂しいことである。

ふたりの目的は、ぶっとんだ仮説に乗って、新しい世界に行くこと。上場はその手段でしかないはずだ。両者ともそのことはわかっているはずなのだが、起業家と投資家は役割が違う。

最後は、お互いの違いがもっとも明らかになる瞬間でもあるのだ。

「起業家は、新しい車をつくる。投資家はその車に入れるためのガソリンを調達してくるのが仕事だ。そして起業家と投資家は同じ車に乗って、新しい世界を見に行く旅に出る」

初日に話した、車とガソリンのたとえ話を思い出してほしい。

あの話には少し続きがある。

同じ車に乗って、新しい世界を見に出かけて、その先の話だ。

旅の目的が果たせたら、僕ら投資家は車の助手席から一度降りなければならないのだ。起業家の事業が軌道に乗るにつれて、「さよならの時が近づいてきたな」と、僕は起業家に気づかれないようにドアを開ける心構えをする。次の旅に行く時間が近づいていることを知るのだ。

上場のとき、いつも思う。あの車をつくったのも、ハンドルを握っていたのも、ぜんぶその起業家だったな、と。

最初はボロボロのガレージで日曜大工みたいに始めて、車の乗り方も、何も知らなかったやつなのに、見ろ、こんなところまで走ってきた。もう、ひとりでも走っていける。はるか遠い未来へと駆け抜けていくんだ――。

カーン……。

誇らしげに響く東証の鐘の音を、僕はそんな気持ちを胸に何度も聞いてきた。起業家にとって自らの仮説を証明した誉《ほま》れ高き証しであり、会社にとっての新たな門出の合図。そして投資家にとっては、ある意味、お別れの合図。

もちろん、悲しいばかりの別れじゃない。その起業家とはまた別の事業で同じ車に乗ることもあるし、なにより起業家は、ひとつの仮説を命をかけて証明したんだ。それが成されたとき、起業家は、ひとりの経営者として成長する。

鐘を打ち終わるとき、起業家のなかに「自分は圧倒的に正しい」という確信が生まれる。そこから起業家は変わる。顔つきもまるで別人のように変わっていく。僕は起業家の隣で、その成長した姿を見ている時間が大好きだ。

何度経験しても、その起業家の成長だけが、僕を次の冒険に駆り立ててくれる力になる。

僕が尊敬するシリコンバレーの投資家、ロン・コンウェイは「私が投資をするのは、起業家を助けることと、彼らが学習し成功していく過程を見ることが、好きだからだ」と述べている。

僕もまったく同じ気持ちだ。

もし自分の墓標に刻む言葉を選べと言われれば、僕は迷わずこう答えるだろう。


「ひとの成長にかけた男、ここに眠る」


今、この文章を、事業を清算したあの彼は、どこかで読んでいるのかもしれない。

彼はどう感じていると思う？

「成長はゼロだなんて言わないでくださいよ」なんて言うと思うか？

僕にはわかる。彼は今、心から深く頷《うなず》いて納得しながらこれを読んでいる。彼は僕のこの言葉を信じることができる。それだけの覚悟を持って、彼が事業をやっていたことを僕はこの世の誰よりも知っている。

そして彼自身が、自分が経営者として一切成長しなかったことを誰よりも知っていることだろう。

今はその経験から何か新しいことを始めているかもしれない。僕に今できることは、彼のその後の旅が良いものになることを祈ること。そしてもう一度挑戦するというのなら、惜しみない支援をしたいということだけだ。

僕は君の才能に一度は惚《ほ》れ込んだ男だ。

またこの机で会える日、一緒に車に乗り込む瞬間を待っている。

DAY 3

成長論まとめ

- 「頑張る」のと「成長する」のは別。
- 意味のない努力をやめて、意味のある努力をしよう。
- 1分の1の成功にとらわれず、次の打席に立て。
- 成長を、しよう。

DAY 4

君は、人類の年表に触れたくはないか？

職業、ベンチャーキャピタリスト

今日はあらためて、僕が人生をかけて取り組んでいる「ベンチャーキャピタリスト」という仕事について君に語ってみようと思う。

事業会社や機関投資家から出資を募り、ファンドを組成すること、スタートアップに投資を実行すること、ＩＰＯ（新規株式公開）やＭ＆Ａを手伝うこと――。

それらの業務の性質と、大手の投資銀行出身者が多いことから、ベンチャーキャピタリストは金融業っぽく見えるところがある。

しかし、それらの実務は知識と経験さえあれば誰にでもできる。

ベンチャーキャピタリストの仕事の本質は、起業家に自分の能力を気づかせたり、その能力を存分に発揮し成長できるよう環境を整えたり、倫理観を育てたり、適切な健康意識を教育したり、進むべき道に導いたりといった、起業家としての才能をいかに取り扱うかにある。

つまりベンチャーキャピタリストは、お金を扱う「金融業」ではなく、才能と対峙《たいじ》する「才能取扱業」なんだ。

そしてその使命は、才能を見出し、開花させ、その人物に資本を適切に分配することで人類を進歩させることだと、僕は思っている。

話がデカすぎると思うかもしれないが、べつに大げさに言っているんじゃない。

僕がこの仕事にもっともリアリティを感じるのは「年表を正しく進める」感覚があるときだ。

イノベーション視点で歴史の年表を見てみると、ひとつのテクノロジーの発明が、歴史を爆発的に加速させているポイントがある。ノーベルが発明したダイナマイトのように、予定調和の時間の流れを爆破して最短距離をつくってしまうようなイノベーションが、歴史ではときおり起こっている。

たとえば現代の僕たちは、やろうと思えば手の中のスマートフォンに数回触れるだけで、ツイッターを通してブラジルに住んでいる人が何を思い、どう行動しているかを知ることができる。パーソナルコンピュータ、インターネット、スマートフォン、ソーシャルメディア、これらのイノベーションが、かつては命がけの大航海をしなければ行けなかった地球の裏側までの時間から、自分の好みの女性に出会うまでの時間を、等しく短縮している。

ベンチャーキャピタリストの仕事は、未来でこうした爆発的な加速を引き起こすイノベーションへ効率よく資本を分配し、産業の新陳代謝《しんちんたいしゃ》を高めることだとも言えるだろう。

実は、2200年頃までの未来は、ある程度は決まっている。僕が150歳以内に死ぬことが決まっているように。

すでにこれだけ多くの電子マネーが流通しはじめていて、まさか200年後に僕たちの多くが紙や銅のお金を使い続けていることは想像できないし、医学の進歩で人類の寿命が延びていくなか、10代までは「ずっと学び」、成人後は「ずっと働き」、定年後は「ずっと休む」という人生サイクルは成り立たなくなり、たとえば学校のあり方は決定的に変わってしまうだろう。

脳の仕組みも解明されて、「幸福感」はサプリのように薬屋で買えるようになるし、不老不死だって、ある程度は実現できている。

人工の細胞などで人体の様々なパーツを代用することができるようになると、「生きる」と「死ぬ」の境目というのは、きわめて曖昧《あいまい》になってくる。脳も心臓も何もかも、体のパーツをすべて入れ替えることができたら、それははたして「元の自分」なのだろうか？　死の概念や人間の定義も変わらざるを得ない。

そして、ロボットがあたりまえになると、人間の最重要テーマは「余暇」とのつきあい方になる。これまでは余暇は長ければ長いほど幸せを感じられたが、みなが等しく長い余暇、暇な時間を持て余すようになると、「幸福」の概念というのも変わっていくのだ。

未来の多くは、テクノロジーの進化によって、なるべくして到来するのだろう。

そしてそうした未来を実現するイノベーションがこの先200年の、いつ、どこで起こるかは、今の起業家、さらにはシリコンバレーの動きを見ていればだいたい見えてくる。

起業家は遠い未来を見る、特殊な目をもっている。そんな起業家をたくさん俯瞰《ふかん》していると、彼らが大きい波になって、ひとつの場所に押し寄せていることがわかるようになる。そこが、イノベーションが起きそうになっている「ホットスポット」だ。

今で言えば、ビットコインなどのブロックチェーンや、ヴァーチャルリアリティ、人工知能（AI）あたりがそうだろう。

つまり「これをつくれたやつは勝つ」というゴールは、すでに見えているのだ。

僕らはそれを実際につくっている起業家を探し、才能のあるところに資本を集中させ、歴史を爆発的に加速させるのを肩越しに見届ける。

そうして未来が訪れるまでの時間を短縮するのが、僕たちベンチャーキャピタリストの本当の仕事だ。

確率と、独断と、偏見と

僕はもちろん、投資先すべてが成功すると思って投資をしている。

しかし、投資先すべての会社がグーグルのように成長することは、確率論が許さない。

「きっとこいつと最高な未来を見られるはずだ」「イノベーションを起こすに違いない」と、熱い想いを共にした起業家が、未来をつかむ光景を目の当たりにしながら、その陰《かげ》で散っていく起業家を見送らなければならない。

そこには、沸騰《ふっとう》するような夢と絶対零度《れいど》の現実が合わさった、ヒリヒリするような興奮があって、やめられない。

そんなベンチャーキャピタリストの戦い方は、実は高校生の数学の教科書にも載っている「確率論」だ。

素晴らしい才能や頭脳を持ち、努力し続ける体力に恵まれ、さらに人生をかけて挑戦する事業がある段階で、その人はすでに数百万分の一以下の稀有《けう》な起業家だろう。

しかしどれだけ素晴らしい起業家でも、ウーバーのように人々のライフスタイルを変えてしまえるほどのものを生み出せる起業家に〝化ける〟確率は、100社に1社くらいだ。

だから僕は、数百万分の一以下の稀有な才能を100捕まえて、そのすべてに投資するという、教科書通りの確率論に則《のっと》って戦っている。

ある程度の経験こそ必要だが、戦術はきわめてシンプルだ。

僕が新しい起業家と会うパターンは、「僕が投資をしている起業家や出資者からの紹介」と、定期的に開催している面談会「メンタリングデー」のエントリーフォームへの入力の、2つが多い。

前者については、すでに才能を見出された人、多くの才能を見抜いてきた人からの推薦を得るというハードルをクリアしている。後者についても、ツイッターなどでしか広めていないフォームを見つけ、的《まと》を射たメッセージを送れる時点で、僕のことについてここで言っているようなことを知っている人間だとわかる。

そうして出会った人間に対して、僕はほぼ「直感」で投資を決める。

すでに述べたように、弁当屋をやっている2人組に投資することもあれば、「でかいことやらない？」とだけもちかけて、ファッション系ビジネスで起業した若者に、突如ドローンビジネスを起業させることだってある。

「このファンドは、僕の独断と偏見です。大手企業のように客観的で合理性のある意思決定はないし、ファンドの投資対象なんてものも基本的にはない。投資する会社のフェーズも確定していない。市場の動きに応じて適宜《てきぎ》直感的に、かつ柔軟に判断いたします」

僕が27歳で1号ファンドをつくったときに出資者に行った説明はこれだけだ。

まったくひどい説明だと思う。しかし今の時代、独断と偏見こそが唯一の投資理由になると僕は本気で思っている。

全米トップクラスのベンチャーキャピタル「アンドリーセン・ホロウィッツ」の共同創業者、ベン・ホロウィッツは、「平時のCEOと戦時のCEO」という言葉で表現しているが、国が「上がって」いく、ちょうど日本の60～70年代のようなフェーズであれば、企業に求められるのは、市場において自社の優位性を拡大する「平時のCEO」だ。

しかし、今の日本は経済全体が「落ちて」いくフェーズにある。そうしたなかでは、新しい市場と新しい仕事をつくりだす「戦時のCEO」が求められる。

そうした経営者には、ある意味では独断と偏見による、短期的には意味不明な意思決定が最適な行動原理になり得るのだと思うし、そのためには独断と偏見で投資できる「戦時の投資家」が必要だ。

そうなると、僕のような「独立系ベンチャーキャピタル（親会社を持たず、資本独立したベンチャーキャピタルのこと）」の人間は、戦時のCEOとのタッグが組みやすい。与信《よしん》がゼロの段階から資金を集め、投資ファンドをつくり出した独立系のベンチャーキャピタルの成立プロセスは、戦時下における起業と変わらない。独断と偏見に満ちた似たもの同士として、起業家・投資家の関係になれる。

直感というと非科学的で、言語化するのを放棄しているだけだと思われがちだが、言葉も直感も、基本的には脳の思考だ。

直感は、言語化が追いついていないだけで、自分の中の経験則とロジックから脳が計算して弾き出した、思考のひとつの解であることに変わりはないだろう。

たとえば僕は、「髪型がいいな」「こいつ良い感じだな」「なんだか彼は疲れているな」「パソコン、ボロボロだな」といった、出会って最初の2分間の印象から投資をするかどうかを決めてしまうことがある。

そんな些細《ささい》で感覚的なことを大金（しかも人から預かっているお金）をつぎ込む根拠にしていいのかと訝《いぶか》しむかもしれないが、僕がいちばんダメな意思決定だと思っているのは、右脳の直感的には「なんかこいつイマイチだな」「怪しいな」と感じているのに、肩書きがグーグル社出身だったり有名な人のリファラル（推薦）があったりすると、左脳がその直感をなかったことにして、印象を「上書き」してしまうことだ。

そして事業が失敗したりすると、誰もが「実は最初からちょっとイマイチだと思っていた」なんて言う。ちょっと、ズルくないか？

僕は、最初に右脳で仕入れた言語化しづらい情報も、意思決定の重要な要素として大切にしているということだ。そしてそれは「夢を覚えておく」のと同じように、強く意識づけしていないと、実はけっこう難しいことなんだ。

独断と偏見と直感で決めるというのは、べつに意思決定を放棄したのではなく、むしろ右脳と左脳を合わせた「全脳」を使って決めているということでもある。

最難関だからこそ、挑む

起業家の川田治良《かわだじろう》は、理屈ではなくまさに直感で投資を決めた相手だが、もしかしたら彼は確率論を超え、この世界に「ダイナマイト」を生み出してしまうかもしれない。

「人って必ず死ぬから、やりたいこと全部やっとこうと思って」

川田の口調は、まるでミュージシャンになることを夢見て上京した、深夜バスが発着する新宿駅西口周辺にたむろする若者のようだった。

そして実際に、ミュージシャンだった。彼は月に一度、渋谷のライブハウス「ラ・ママ」でライブを行うバンドマンだったのだ。

曰《いわ》く「博士《はくし》課程の頃って人生悩むんです。大学を卒業した同級生はみんな働いてて、聞けばけっこうな金も稼いでる。自分、これでいいのかな？　と本気で思って、その気持ちをギターと歌にぶつけました」。

川田とは、2016年からパートナーとして僕のファンドにジョインしてくれている、鮫《さめ》島昌弘《しままさひろ》の紹介で出会った。鮫島は東京大学の大学院で電波天文学を修《おさ》めた、研究畑出身のベンチャーキャピタリストであり、サイエンス系スタートアップのインキュベーションと投資を行っている。

彼が「この投資やらせてください！」と連れてきたのが川田だった。

川田に初めて会って事業の説明を聞いているときも、なんだかライブステージのMCを聞いているみたいな感じだった。それでいて、東京大学の生産技術研究所での研究実績があり、おまけにハーバード大学に留学もしている。

こいつ何者だ？

デモテープに入ったガレージロックの歌詞を聴いているみたいな川田のプレゼンのサビは、

「ＡＬＳを治したい」だった。

この世界は残酷だと思わないか？　天才でも、病気にかかる確率は凡人と同等だ。

身体中の筋肉が弱って死に至る、神経の難病「ＡＬＳ（筋萎縮性側索《そくさく》硬化症）」は、「車椅子の物理学者」によって広く知られるようになった。イギリスの天才理論物理学者、スティーブン・ホーキングは、21歳の若さでこの難病を患《わずら》う。ブラックホールの研究などで、アインシュタイン以降の宇宙論に多大な影響を与えた者として世界的に知られた人物だ。

人間の身体は脳からの指令を筋肉が受け取ることで動いている。ＡＬＳは、脳からの指令を筋肉へ伝える運動神経になんらかの異常が起こり、全身の筋肉が動かなくなる病気だ。

運動神経とだけ聞くと、手足の筋肉をつかった歩行などが頭に浮かぶが、人間は言ってみれば筋肉の塊《かたまり》だ。会話やものを食べるのにも筋肉をつかう。さらには生命維持に不可欠な呼吸も、筋肉が動かなければ不可能だ。

ホーキング博士が車椅子で移動し、特殊な発声デバイスによって会話をしていることで知られるように、ＡＬＳは、人間が世界や社会と関わるためのすべての運動能力を奪う。

それでいて、脳を含む筋肉以外の臓器は正常に機能することから、人間が動かぬ身体の中に〝自閉〟してしまう精神的苦痛が大きい。

そのつらさは、ホーキング博士が安楽死を支持していたことからも明らかだ。

そんなＡＬＳの治療法を見つけようとするスタートアップが、川田の起業した「Jiksak《ジクサク》 Bioengineering《バイオエンジニアリング》（以下、ジクサク）」である。

ジクサクの事業を簡単に説明すると、人間とほぼ同じ神経を試験管の中でつくり出し、ＡＬＳの治療法の糸口を見つけるというものだ。

川田は東京大学でｉＰＳ細胞の研究を行っていたが、「世界一」だと思えた論文はアメリカのハーバード大学にあったため、大学の研究室の指導教官のツテをたどってハーバード大学へ留学する。

そこで川田はＡＬＳの研究と出会う。

「人類が解かなければならない問題なんだなって思いました。そしてその問題を、まだ誰も解いていなかったから、『やったるで』という気持ちでしたね」

科学者と起業家の資質には重なる部分が多い。ＡＬＳは明らかに医学における最難関の問いだ。最難関だからこそ挑む価値があると考えるのが、科学者であり、起業家なんだ。

帰国した川田にはひとつのアイデアがあった。それは、試験管の中でｉＰＳ細胞から人体の臓器とほぼ同じ組織「オルガノイド」をつくり出す技術をつかって、ＡＬＳに挑むことだった。

iPS細胞は、人体の様々な組織・臓器の細胞へと変化することができる多能性を持っている。この変化を「分化《ぶんか》」と言う。

オルガノイドは、iPS細胞を分化させることで、特定の臓器の働きのみを試験管の中で再現するものだ。これを基礎研究や試薬《しやく》の試験などに用いれば、人体に限りなく近い環境で効率的・効果的な実験が可能になり、研究開発を大幅に加速することが期待できる。

川田はこのオルガノイドの技術をALSの解明に役立てようと考えたのだ。

川田はマイクロ流体デバイスの研究を応用し、人間の神経細胞をオルガノイドの人工臓器チップにする技術を開発し、のちに特許も取得している。

従来の技術では、神経細胞と軸索《じくさく》（神経細胞から出る突起。軸索が束になって神経線維となる）を分けて観察することができなかったが、川田が生み出した技術では、軸索だけを詳細に観察することができる。

この特徴がそのまま社名の「ジクサク」になっている。

要は、健常者とALS患者の細胞から作製した神経細胞のオルガノイドを詳細に観察することで、ALSに冒《おか》された神経細胞の中で何が起きているかが明らかになる可能性があり、創薬にも貢献できるというわけだ。

ロマンチックに「ど・シード」を攻める

川田の研究は少し難解なので説明が長くなってしまったが、この世には、いろんな考え方の起業家がいる。最難関だからこそ挑戦するクレイジーなやつもいれば、市場調査を重ねて石橋を叩いて渡るようなやつだっている。

だからベンチャーキャピタリストにも、いろんなタイプが必要だ。

ロジカルな起業家にはロジカルなキャピタリストが必要だし、川田のようなロマンを追いかける起業家には、僕らのような「ロマンチック」なキャピタリストが必要なのだ。

ALSは医学における「フェルマーの最終定理」と言われており、現代の最先端医療をもってしても、治療はおろか、患者を3カ月延命させるのが関《せき》の山だとされる。よって、川田の挑戦をロジックで考えていくと、

「おまえがつくっているのは、『うどんのザル』だ」

なんてことを言われることになる。

これは川田が資金調達に奔走《ほんそう》していたとき、実際にあるベンチャーキャピタリストから言われた台詞《せりふ》らしい。

「美味くて評判のいいうどんは、つくればつくるほど儲かる。しかし、評判のいいうどんをつくるためとはいっても、ザルはいくらつくってもザルでしかない。儲からない」

ALSの治療薬は大儲けできる「うどん」だが、オルガノイドは、治療薬をつくるための「ザル」であり、儲けは期待できないから投資できないというわけだ。

なるほど、笑えないほどロジカルな答えだ。

一方のANRIは、川田のような熱い挑戦をしている起業家に、ただの独断と偏見で投資を行うファンドだ。そのファンドの方針は、笑えるほどにロマンチックだ。

たとえば川田への投資も、鮫島が「やらせてくれ」と言ってきたから「じゃあ、いいよ」ということで決定している。

ベンチャーキャピタリストというのはどうしたわけか、ファンドをつくって最初に「ここに投資したい」と思ったところが成功するというジンクスがある。鮫島の「俺はやるんだ」という感じの口調を聞いたとき、どことなくそのジンクスを地で行くような感じがあった。だから僕らは、川田へ投資することにした。

……な？　ただの僕のジンクスで投資しているんだぞ。

根拠ゼロで、笑えるほどロマンチックだろ？

ただ実際、ロマンチックでなければ、川田のようなシード中のシード、いわば「ど・シード」の起業家に投資する判断なんて、行うことができない。

これは、日本のベンチャーキャピタルの問題でもある。

日本の多くのベンチャーキャピタルは、組織型のベンチャーキャピタルである。主に金融会社や事業会社を親に持つ子会社で、企業の出資者から出資を募って組成されるファンドの運用を行う。

組織型は、良い意味でも悪い意味でも企業体でありロジカルだ。大きな金額の資金を運用しやすい一方で、投資には常に合理性が求められる。もしも投資で失敗すれば、投資会社として出資者への説明責任を果たさなければならないからだ。

極論すれば、組織型のベンチャーキャピタルは、「失敗しないように」投資をしていくことになる。

一方で僕のように「独立系」と呼ばれるベンチャーキャピタルは、僕個人の与信への出資によって組成されるファンドを運用する。

企業体ではなく、いわばスタートアップのようなベンチャーキャピタルだ。

それゆえ僕は、出資者との間に企業体としてではなく、個人的なコンセンサスを持っている。さっきも言ったように、「僕の独断と偏見で投資を行う」というものだ。それに対してファンドの出資者たちから「べつにそれでかまわない」という合意をしっかり得ている。

だから、非合理であっても、可能性を追求した投資を行うことができる。

「歯並びが良かったから」といった理由ですら投資が可能だし、実際に行ったこともある。

この両者にはそれぞれに長所と短所があり、一概にどちらが良いとは言えないが、組織型のベンチャーキャピタルは川田のような才能への投資、つまり「シード投資」が不得手《ふえて》であることは確かだ。

日本は組織型のベンチャーキャピタルが多いことから、研究開発系の先鋭的なスタートアップに適切なシード投資がされにくい状況が続いている。

この状況は、イノベーションが起きる確率を慢性的に低下させている。研究開発系の起業家にとって、もっとも資金が枯渇《こかつ》するのがシード期だからだ。

そもそもシードというのは、スタートアップの成長段階を言い表す言葉のひとつである。コンセプトや事業計画はあるけれど、商品化されたプロダクトはまだないスタートアップのことを「シード」と言う。まだ会社とは呼べない、「種（シード）」のような段階だ。

続く「アーリー」から「シリーズA」は、事業を軌道に乗せてゆくフェーズである。コンセプトを具現化するために、エンジニアを雇ったりする必要があるため、シード期と比べて断然、会社っぽくなる。しかし事業ではまだ利益を出すことができない状態だ。

ほとんどのベンチャーキャピタルが投資するのはこの段階、早くてアーリー、一般的なのがシリーズAだろう。

「シリーズB」は、事業が軌道に乗り、利益をどんどん出していくことができるフェーズである。事業をつくるために行った投資を事業の利益が上回り、「損益分岐点」を越えたといった嬉しいニュースが入ってくる時期で、この頃になると完全に会社と呼べる状態だ。

「シリーズC」では、キャッシュフローの黒字化や、金融機関からの融資も良い条件で受けられるなど、事業の社会的な信頼が高まる。この時期になると、会社ではなく企業と呼ぶほうがふさわしくなる。

そしてANRI語における「ど・シード」とは、そもそも種ですらない状態、言ってみれば、そう、ただのロマン！　なのだ。

川田が僕らからの出資を含め、大原薬品工業など数社から総額1・7億円を調達できたのは、非常に稀有な事例だろう。日本の多くのシード期の起業家にとって、これだけの出資を得るためにはもっと時間がかかるし、場合によっては出資を受けられない場合もある。

これでは、ベンチャーキャピタルの「事情」によって、才能が適正に評価されず、起きるべきイノベーションが起きない事態を招きかねない。

そんなことは、どう考えてもバカバカしい。

よって独立系ベンチャーキャピタルである僕の方針としては、シード投資をガンガンやっていこうということになる。それが現在の日本のベンチャーキャピタルの生態系において必要な役割であり、ロマンだからだ。


川田が成功すれば、人類の年表が動く。

ALSで失われる命が救われるのだ。

これをダイナマイトと呼ばず、なんと呼ぼう。


僕はそうした成功を成し遂げようとする才能にかけ、その才能を発揮させることこそが、ベンチャー投資の本質だと思う。

つまりシード投資こそが、才能取扱業であるベンチャーキャピタリストにとって究極的であり、本質的な投資なのだ。

怪物、孫正義《そんまさよし》

しかし、そんな日本で、シード投資で世界を変えようとしている怪物がいる。

孫正義だ。

ベンチャーキャピタリストの視点から見ると、日本というのはめちゃくちゃ変な国である。この国には、世界で戦えるキャピタリストがぜんぜんいない。にもかかわらず、世界最大のベンチャーファンドの生みの親がいる。

それこそが孫正義であり、「ソフトバンク・ビジョン・ファンド」だ。

投資家としての顔はあまり広く知られていないかもしれないが、孫正義はベンチャーキャピタルや企業そのものの定義を変えていく可能性すらある。ソフトバンクはただの携帯電話キャリアではない。投資会社であり、イノベーションを生み出す工場なのだ。


そもそも投資における彼の先見性は桁違いだ。

もっともよく知られるのは、約8兆円のキャピタルゲインを生んだアリババへの投資だろう。

孫正義は2000年に、できたばかりのベンチャー企業だったアリババに20億円の投資を行った。2014年9月、アリババはニューヨーク証券取引所に上場し、時価総額は2300億ドル（約25兆円）となった。孫正義の投資が、価値にすれば約4000倍になり、含み益約8兆円もの「兆馬券」に化けたのだ。

260倍でスゴいだろ？　と言っていた自分が、少し滑稽《こっけい》に思えてくる。

歴史に残るディールに違いないが、投資が成功するまでには14年だぞ？　漫画みたいな話だ。14年といえば、初代iPhoneが生み出されてから2020年現在の形になるまでよりも長い。

一般的な投資家が、インターネットの分野においてこれだけの長い時間を見越した投資で成功することは非常に稀《まれ》というか、ただの奇跡だ。インターネットの市場は流動的で変化率が高いため、短期戦が見込めなければ投資対象には選びにくい。

孫正義の堂々たる投資を見ろ。できたばかりのベンチャーに20億円。ただの気まぐれで投資したとは到底思えない金額だ。彼は大きく伸びるだろう不確実なマーケットに対し、計画的に投資を実行し、成功しているのだ。

孫正義のこれまでの事業からも、彼の異常なまでの先見性がうかがえる。

彼が立ち上げたことで知られるYahoo!《ヤフー》 BB《ビービー》は日本のインターネット産業を約10年は加速し、国際競争力で2倍程度にはしているだろう。

また、他の携帯キャリアが見向きもしなかった頃から率先してiPhoneを販売し、日本に定着させたことも、ソフトバンクの偉業のひとつだ。スマートフォンのビジネスは、そもそもインフラであるスマートフォンの普及が欠かせないからだ。

中国やインド、インドネシアへの投資にしても、どのディールも「確実に〝来る〟」「〝来た〟ときのインパクトがきわめて大きい」「ただし、いつ〝来る〟かは読めない」ものへの総張りである。そうして生み出された成功の最《さい》たるものが、アリババへの投資だったわけだ。

そして2017年、空前絶後のソフトバンク・ビジョン・ファンドが誕生する。

その資金力は約10兆円。

この金額は、アメリカの国内ベンチャーキャピタルの年間投資額に匹敵《ひってき》する。

ソフトバンク・ビジョン・ファンドの登場は、当然だが、シリコンバレーのベンチャーキャピタルにとって激震《げきしん》になった。

たとえば、シリコンバレーのベンチャーキャピタルから10億円程度の投資の約束をとりつけているスタートアップがあるとしよう。そこにある日突然ソフトバンク・ビジョン・ファンドがやってきて、500億円を投じる、といったことが起きる。豆鉄砲でやりあっているところに核弾頭ミサイルで乗り込んでくるようなものだ。

起業家は大喜びに違いないが、投資する側からすればたまったものではない。

桁違いの資金力を持つソフトバンク・ビジョン・ファンドは、投資した瞬間、「出資比率（出資した金額の比率）」において他社を圧倒的に引き離してしまう。これはそのまま、投資家の経営に対する影響力に反映される。

つまり、ソフトバンク・ビジョン・ファンドと肩を並べて投資する他のベンチャーキャピタルにとっては、なんのうま味もない投資ゲームになってしまうのだ。

これからの起業家はもちろん、投資家は、孫正義というゲームチェンジャーの存在を常に念頭においておく必要がある。

自分たちがやろうとしているゲームが、この男の一存であっさり変わってしまうことが、すでに現在のシリコンバレーでは起きているからだ。

毀誉褒貶《きよほうへん》は激しいし、あまりのチャレンジャーぶりにこのさき幾度となくピンチも迎えるだろうが、孫正義はいま世界でもっとも未来が近づくのを短縮している投資家のひとりであることは間違いない。

投資家たちの「天下一武道会」

僕は、こうして君に話している今も、人類の年表を動かすような仕事をしている起業家とともに、世界で戦えるベンチャーキャピタリストになるロマンを追いかけている。

投資家にとって、世界を見渡す方法は簡単だ。

アメリカの経済誌『フォーブス』が発表している「The《ザ》 Midas《ミダス》 List《リスト》」というベンチャーキャピタリストの長者番付がそれだ。

The Midas Listは、毎年発表される「もっとも影響力のあるベンチャーキャピタリスト」100人のランキング。その影響力は、IPO、M&Aによるキャピタルゲイン、および未上場企業の含み益によって算出される（ちなみにミダスとは、ギリシャ神話に登場する王の名で、触れるものすべてを黄金に変える能力を持っていたことで知られている）。

このリストには、グーグルやツイッター、フェイスブックなどのテックジャイアントにシード投資を行ってきた投資家の猛者《もさ》たちが名を連ねている。

言ってみれば、ベンチャーキャピタリストの「天下一武道会」なのだ。

2020年のThe Midas Listを見てみると、1位はニール・シエン。中国のセコイア・キャピタルに所属し、アリババやTik《ティック》 Tok《トック》を運営するバイトダンスへの投資で知られる。

2位は、ビジネスチャットツール、Slack《スラック》への投資で順位を1年前の79位から大幅に上げたアンドリュー・ブラキア。

3位は、キャッシュレス決済サービス、Square《スクエア》への投資で知られるロエロフ・ボサ。

4位は、ベン・ホロウィッツ。「平時のCEOと戦時のCEO」の話のときに出てきた、シリコンバレーの超重鎮だ。

よく知っている名前を探すと、だいぶ下のほうにランク付けされている。

著書『ゼロ・トゥ・ワン』で日本にもお馴染みのペイパルマフィア、ピーター・ティールは43位だ。

89位にマーク・アンドリーセン。シリコンバレーに圧倒的な影響力を持つベンチャーキャピタル「アンドリーセン・ホロウィッツ」をベン・ホロウィッツと共に運営し、フェイスブックにシード投資を行ったことで知られる。

100位までのリストを眺めていると、投資先にはウーバー、エアビー、Pinterest《ピンタレスト》、Spotify《スポティファイ》など、世界中の誰にでも知られているインターネットサービスがずらりと並んでいることがわかる。

これが世界の戦いなのだ。

そこには、僕を含む日本人のベンチャーキャピタリストはひとりもいない。

とても……、とても悔しい。

世界で戦いたい起業家はいても、この国には世界で戦えるベンチャーキャピタリストが、まだひとりもいないのだから。

やはり、孫正義やThe Midas Listに名を連ねるベンチャーキャピタリストたちの活躍を見せつけられて、そこを超えないでは死ねないなと思う。

そして超えるのなら、今しかない。

今の目の前の仕事を、自分の人生で最高の仕事にしていくしかない。

あたりまえに健康だと気づきにくいものだが、自分もいつかは死ぬんだ。そしてその死はいつやってくるかわからない。いま生きているこの瞬間に、先送りにして良いことなんて、ひとつもない。


僕にそのことを教えてくれたのは、身近に感じた「死」だった。

そしてその死が、僕をベンチャーキャピタリストにしてくれた。

2011年、僕は新卒で入ったリクルートの「メディアテクノロジーラボ」にいた。リクルートの異端児《いたんじ》を集めて生まれた部署で、新規事業創出がミッションだった。僕はリクルートの全在籍期間の約半分にあたる1年半という時間を、そこで過ごした。

大きな成功をおさめたサービスを多数生み出す一方で、数千万円もの開発費をかけたソーシャルゲームの売上がたった2000円で終わるような惨事《さんじ》に直面するのも日常茶飯事だった。

そんな慌ただしい日常のなかで、事件は起きた。

「おいアンリ、俺もさっき知ったばかりで驚いてるんだけど、山田さん（仮名）、亡くなったんだって」

「……は？　そんなはずないよ。山田先輩でしょ？　だって昨日、俺の友人がいっしょに飲み会行ってたし……」

悪い冗談にすら聞こえなかった。いつものように打ち合わせに出かけていた僕は、ビジネス街の雑踏《ざっとう》のなかでその電話を受けた。ずいぶん寒い時期だった。

「何かの間違いに決まってる」——電話を切って、僕は山田先輩を知る共通の友人に電話をかけた。数分後、その訃報《ふほう》は真実だとわかった。

山田先輩は常人の10倍は元気な30代だった。電話の前日は、海外の大企業の買収が終わって帰ってきたあとの、「おつかれ飲み会」だった。

僕は仕事で行けなかったが、共通の知人・友人はたくさん参加していた。

飲み会が終わって、友人たちはいつものように別れて帰路についた。その次の朝、山田先輩は自宅のベッドで冷たくなっていた。

この経験は、僕の心に、自分だって死ぬときが来る、ましてや、ひとは山を登りきったあとではなく、山を登っている最中に死ぬことだってある、という実感と恐怖を深く刻みつけることになった。

それまで僕にとっての死とは、人生で何かを成し遂げたあと、老年になってから訪れるものだったんだ。

自分がどんな死を迎えるのか今は知らないが、心肺《しんぱい》が止まったあとに脳への酸素の供給がすべて止まるまで、きっと意識はある。科学的にはどうか知らないが、僕はそう信じている。

「僕は、死ぬんだ」と、薄れゆく意識のなかで自分はきっと人生を思い返している。

そのとき、後悔なく、人生を閉じたい。

ほんの一片の後悔もなしにだ。

もし何かやり残したと感じることが脳裏《のうり》をよぎれば、きっとそれが人生における最後の記憶になる。自分がこの世界で最後に残す感情が後悔になることを、僕は死そのものよりも恐れるようになった。

僕はその恐怖から逃れるために、とにかく自分がやりたいことは一切の妥協なく、すべてやり遂げるしかないと考えるようになった。

そうして僕は、ベンチャーキャピタリストになることを決めた。

リクルートを去る決意をし、着の身着のまま、わずかな貯金を持って、生きた伝説の投資家、松山太河さんのところに丁稚奉公として転がり込んだのだ。

そうしないと自分は絶対に後悔すると思ったから――。

今も自分のスタートに思いを馳せるたび、山田先輩のことを思い出す。可能性と人望にあふれた、ほんとうに素晴らしい人だった。

人は今をただいきいきと生きる以外、死に対してできることはない。ならば全力で、と踏ん切りがついた瞬間だった。

この気持ちは今もずっと、色褪《いろあ》せることなく僕の心にある。

起業家と出会うたび、投資するたびに、僕はその起業家にただの一片の後悔もない、自分の最大限の人生を預け続けている。

人間は、しょせん人間なのだ。いくら欲しくても、体力や寿命は買えない。

君も、僕も、起業家やベンチャーキャピタリスト、ビジネスパーソンとして生き、人生で使うことのできる時間は限られている。

その時間のなかで、君は何を望む？

僕は、世界で戦うベンチャーキャピタリストになりたいと望み続け、今を生きている。

DAY 4

VC論まとめ

・ベンチャーキャピタリストとは、才能取扱業である。
・人類の年表に触れる仕事がある。
・現代のダイナマイトを生み出すのは、君かもしれない。
・天下一武道会が開かれているのに、傍観者《ぼうかんしゃ》ではいられないだろ？
・一片の後悔もない生き方をしよう。

DAY 5
怖いけど、僕は「逃げない」

僕にベンチャーキャピタリストという仕事の醍醐味《だいごみ》を教えてくれたのは、24歳の「ニートにもなれない」ような、ひとりの男だった。

もう7年も前の話だ。

僕が太河さんのところから独立し、第1社目として投資した妻の会社の次の第2社目、つまり、実質ほぼ最初に投資したような会社、「ペロリ」の起業家の話をしよう。

ベンチャーキャピタリストは人類の年表に触れる仕事だと言ったが、かっこいいことやいいことばかりが続くわけじゃない。当然、ピンチも次々とやってくるし、つらい状況に陥ることや大きく失敗することもある。でもそういうときにこそ、起業家、そしてベンチャーキャピタリストの真にあるべき姿も、見えてくるんだ。

5日目の今日は、本当の「成功」とは何か、そしてベンチャーキャピタリストになるための条件とは何か、君に話しておきたいと思う。

ちょっとそこの椅子に深く座り直して、じっくり聞いてほしい。

出資者総会で一同「あれはわからない……」

「えーと、スマホでウェブ開いてもらっていいですか……」

寝癖のついた伸びた髪をかきあげながら、明らかに人前に出るのが苦手そうな感じを醸《かも》し出しているこの猫背の男は、「出資者総会」のプレゼンの場で、そう切り出した。

出資者総会というのは、ファンドに出資している人間が集まって投資先の事業内容について話を聞く会だ。当然、プレゼンによって出資者たちの信頼を得なければならない。起業家にとってもファンドを運用するベンチャーキャピタリストにとっても、むちゃくちゃ重要な場だ。

2013年の真冬に開かれていたこの出資者総会では、僕の1号ファンドの投資先の経営陣全員が順番にプレゼンしていた。この猫背の男も、そのひとりだった。

「えーと、続いて『NAVER《ネイバー》まとめ』を出してもらっていいですか……」

会場の出資者はみな、このうだつの上がらなそうな男から、どんな面白いプレゼンが聞けるのかと期待半分、不安半分だった。当時、多くの投資家がまだ「まとめサイト」と呼ばれる情報サイトの出現に新しさを感じ、そのビジネスとしての可能性を探っていた頃だった。

「えーと、僕はこれの女性版をやろうと思ってます。以上」

会場では、とくに投影するものもないためにスクリーンセーバー状態を映し出しているだけのプロジェクターの、「ウィーン」というファンの音だけが大きく聞こえていた。

（えっ……それで終わり??）

その沈黙は声なき叫びそのものだった。僕も含め会場全員を「おいてけぼり」にしたプレゼンが1分とたたずに終了するなか、出資者の誰もが心の中で思っていた。「おい、起業とか出資の前に、誰かあいつにプレゼンというものがなんなのかを教えてやれよ」と。

僕が業界で「パパ」と呼んでいる、温厚な人格者で知られるネットエイジの西川潔《にしかわきよし》さんすらも、「あれはわからない……」と苦笑していた。

この出来事から約1年半後、とんでもない買収劇がインターネット業界で話題になる。

2014年10月1日、DeNA《ディーエヌエー》が国内ベンチャー2社を同時買収したのだ。「iemo《イエモ》」とともに総額50億円で買収されたのは、「MERY《メリー》」というMAU（月間利用者数）1200万人を超える巨大キュレーションプラットフォーム。

そして、この痛々しいプレゼンで出資者総会を謎の沈黙に陥れた人物こそ、そのMERYの運営会社ペロリを起業した中川《なかがわ》綾《あや》太郎《たろう》、その人だったのだ。

「キュレーションメディア」という名の発明

彼がただの社会性のないニートのような存在だった頃から、大企業に自分の事業を売るまでの、すべてがつまった時期を並走できたことは、僕にとってほんとうに貴重な経験だった。

それは、まだ「持たざる者」であった起業家と投資家が運命共同体となってはじめての成功体験を積む、人生の宝物のような1年半であり、「人ってこんなにも成長するものなのか！」と驚愕《きょうがく》し、その成長を支援するベンチャーキャピタリストという仕事に、心の底からやりがいを感じるきっかけでもあった。


綾太郎は、出会った当時、24歳の大学生だった。

しかしただの大学生じゃない。朝がどうしても起きられないという理由だけで、「就職する」という選択肢を人生から早々に消し去った、大学生だ。

朝起きずに済む将来の全選択肢は、ニート、フリーター、ヒモ、フリーランス、あるいは経営者の五択。綾太郎は消去法でその中から経営者の道を選んだが、なぜかといえば「経営者になればなんでもできるし……」と考えたからだという。

どういうことか？　たとえば、面白い映画をつくりたいと思ったとき、多くの人は映画監督やプロデューサー、俳優なんかになろうと考える。しかし彼は、映画会社を経営すればそれが可能になると考えるタイプなんだ。

彼には生まれつきともいえる、物事を俯瞰して捉える視座が備わっていた。これは経営者にとって必須ともいえる素養《そよう》だ。社会性なんかより、よっぽど貴重な才能だと言える。

そんな、ノープランだけど経営者になることだけは決めていた綾太郎がＭＥＲＹのアイデアを思いついたのは、コンビニで女性誌を眺めていたときだという。

「どうして女性のファッション誌的なメディアが、インターネット上にほとんど存在していないのだろう？」

素朴な疑問だった。そしてその原因が、インターネットビジネスの経営者がやりたがらないことだと気づいた。女性の「かわいい」などの感性的で説明しづらい要素が多い商材は、ビジネスになりにくいということだ。普通の経営者はもっとシンプルで計算しやすいビジネスモデルをやりたがる。

しかし論理的に説明できないもの、感性的な情報にはニーズがある。正確に言えば、ユーザーが感性的な情報によりスムーズに出会える場には価値がある。そうした場をつくりたいと考えてできたのがMERYだった。

綾太郎はけっしてメディアをつくろうとしたのではない。ただ「インターネットになかったもの」をつくろうとしたのだ。

そうして生まれたMERYは、どんな出版社もつくることができなかったモンスターメディアへと大化けしていくことになる。

MERYには、季節に合わせた着こなしや流行《はや》りのメイク・ヘアスタイル、気になるスイーツなどのトピックが「まとめ記事」としてちりばめられたが、これらをつくっていたのは、出版社の編集者などではない。読者モデルやヘアスタイリストなど、一般女性との距離が近く、オシャレのお手本にしやすい人々が、水先案内人の「キュレーター」としてコンテンツをつくっていた。

綾太郎は、インターネットの「個人をエンパワーする力」を信じていた。だから、女性に対して有益な情報を持っている美容師や読者モデルたちの力を信じ、彼女らにキュレーションをしてもらえば魅力的な場が生まれると考えたのだ。

情報を伝える場所としては個人のブログなどもあるが、自分のファンには見てもらえるけれど、広がりにくい。一方で、一般的なメディアは多くの人の目にとまる場所だけれど、誰でも書けるわけじゃない。

であるなら、女の子なら誰でも書けて、多くの人に見てもらえる、そんな「インターネット上の女性ファッション誌」のような場所をつくる。

これは、雑誌の再発明ともいうべき、まさに画期的な手法だった。

「僕は『NAVERまとめ』の女性版をやろうと思ってます。以上」で出資者総会のプレゼンが終了するのはどうかと思うが、2013年当時、たしかにこのコンセプトをきちんと説明するのはむずかしかっただろう。「新しい」とはそういうことだ。できたものを見ればわかるが、見る前はその存在や価値を想像するのも至難《しなん》の業《わざ》。

しかし、あのプレゼンの約1カ月後にローンチしたMERYの成長は凄《すさ》まじかった。というより、僕の想像をはるかに超えていた。成功したという結果を知っている今だから彼のことを持ち上げてしまうものの、投資をしたばかりの頃は正直なところ彼にさほど期待はしていなかった。少し厳しい人間だという僕の評判を人づてに聞いて、あえて起業前に電話で相談してきたから、その行動を評価して投資しただけだ。

だから、綾太郎がサービスのローンチ後すぐに、「月間数百万PV」という数字を引っさげて僕の前に現れたときはほんとうに驚いた。その後も、MERYは伸び続けた。

それは、圧倒的な成長だった。

聞くことがなくて無言の面接

急成長に人手が足りなくなって、はじめて社員を募集したときのことだ。僕も面接に立ち会うことになり、まだ会議室すらない北参道《きたさんどう》の狭いオフィスに、僕と綾太郎、そして面接に応募した人たちが集まった。

あいさつも終え、面接は始まっているはずなのに、綾太郎は何も話さない。僕が「ちゃんとやれよ」という感じでせっついてもだめだ。綾太郎は沈黙している。面接に来たのに社長に何も聞かれない入社希望者は当然、不安げだ。無言の面接が行われている机のまわりでは、スタッフの女子大生たちが華やかに仕事をしていた。

なんとか僕が適当にフォローし、その「面接のようなもの」は終わった。終了後、どうして何も聞かないのかと問いただしたら、そもそも綾太郎は就職するための面接を受けたことがなく、採用をしたこともないから、面接という儀式がなんなのかがまるでわかっていなかったという衝撃の事実が明らかになった。本人曰く「その場になれば何か話せるだろうと思っていたんですけど、すんません、何も思い浮かばなくて……」である。

はじめのうちは、万事《ばんじ》がこんな感じだった。

ペロリの伝説だけれど、起業から買収されるまで、綾太郎は一度も「資料」というものをつくっていない。これは歴史上前例がないし、今後も起こりえないと思う。彼らは常識的な限界をとっくに超えたレベルで仕事をし、ただサービスだけをつくり続けたんだ。


当時の僕はといえば、表参道でケーキを買って、ニコニコしながら女の子の多いペロリのオフィスに行き、ケーキを渡して、30分で帰るというのがルーティーンだった。

とにかく僕は「ただただ仕事をして、前に進んでください」という姿勢を貫いていた。困ったことがあれば話し合う以外、儀式としての虚礼《きょれい》はすべて廃して、事務的な状況の共有すらも不要とした。

ペロリに投資した頃は、僕自身もまだベンチャーキャピタリストとして模索段階である。投資家像も定まっていなければ、成功体験もない。そんななか僕が唯一やったことは、化け物のように成長する事業と起業家の前で投資家ができることは、笑って「大丈夫」と言って、寄り添うことくらいしかないと割り切ること。「このメンバーで、このレベルでやっていれば絶対勝てる」と強く信じて。

もちろん不安もあった。

というより、胸のうちは不安だらけだった。

もしこの成長が終わってしまったら、こいつらはどうすればいいんだ？　事業は生き物だ。いきなり止まるかもしれない。そうしたら、尋常じゃない事業の成長に尋常じゃない努力で追いついているこいつらの熱は、いま目の前でくり広げられている出来事は、いったいどうなってしまうんだ？　といった不安はいつも不意にやってきて、僕にまとわりつく。そしてその不安のなかで僕は「大丈夫」と言い続けた。

大炎上、再び持たざる者に

2016年には月間利用者数2000万人を達成。

このMERYの大成功は、社会現象をつくりあげるまでに至った。

「キュレーションメディア」と呼ばれるようになったサービスは、経歴も、技能も、経験も持たないスタートアップの「ドル箱」と化していき、さまざまなベンチャーがサービスを立ち上げては、それを大手企業が莫大な金額で買い取る。そんな潮流を眼前《がんぜん》にして、僕たちはシーンをつくりあげたことに大きな達成感すら覚えていた。

綾太郎が成し得たことは、ビジネスを成功させた以上に、「持たざる者」がのしあがるためのフォーマットを発明したことにある。

しかしMERYを含むキュレーションメディアは、あまりにも早く成長しすぎた。いま考えてみれば、何もかもが追いついていなかったのだ。モラルが欠けていたと言われればそれまでかもしれない。すべては誰も体験したことのない急成長の中で起きたことだった。

2016年9月のことだ。キュレーションメディアの情報を疑問視する声が次々に上がり、いわゆる「キュレーションメディア騒動」が巻き起こった。

発端となったのは、間違った医療情報を数多く掲載していたとされる、DeNAの医療健康情報サイト「WELQ《ウェルク》」。11月29日にDeNAはWELQ全記事の公開停止に踏み切った。それと前後して、乱立するキュレーションメディアの情報の質が問題視されるようになったのだ。

そしてMERYも、キュレーションメディア騒動の中で批判の対象となった。日本中のファッショニスタの注目を集めたメディアは「著作権法違反」「デマの垂れ流し」といったクレームを受け、その価値はみるみるうちに下がっていった。

このとき僕は、すでにペロリの株主ではなかった。DeNAに売却し、「イグジット」したあとだったからだ。つまり僕は、あれだけ近い距離にいたのに、もう綾太郎に「大丈夫」

すら言えない立場にあった。

それはまるで、遠くの山火事を見ているような暗澹《あんたん》たる気持ちである。何もできない投資家としての自分の無力さを、ひとりで嘆《なげ》くことしかできない。

「アンリさんの『大丈夫。うまくいくよ』という言葉には、パワーがある。それは、アンリさんが僕たちを一番近くで見てくれていたからなんです。近くで見ていない人が言うのとは全然ちがう。支えは常にアンリさんでした」と、いつか雑誌の対談で綾太郎が言ってくれたことがあったが、その大丈夫が、今は言えない……。

2017年3月12日、綾太郎は責任を取ってペロリの代表取締役を辞任した。

カネより、挑戦だろ？

騒動から数カ月後、僕が仲間内でつかっているLINE《ライン》のグループに、奇妙な目撃証言が舞い込んだ。

「なんか綾太郎さんが完全にいっちゃってるみたいで」

そのメッセージに貼りつけられたリンク先に行ってみると、「いちじく」の写真ばかりが上がるインスタグラムのアカウントにたどりついた。綾太郎のインスタである。

ポストをどれだけ見ても、いちじく、いちじく、いちじく……。

自分がつくった会社を去り、夢を追いかけた仲間に別れを告げたあと、大量のいちじくがアカウントに上がり続ける。

末期だ、と思った。

少し経ってから会いに行くと、たくさんの女の子たちがファッションの話を夢中でしているオフィスから一転、綾太郎は陽のあたらない部屋でいちじくを食べながら、一日中漫画を読んで過ごしていた。なんでも、地方の限界集落に移住することすら考えているという。

綾太郎は、世間から消えた――。


一般的に見ればこれは、起業で大成功した若者が道半ばで失敗し、挫折《ざせつ》した話のように思えるかもしれない。事実、そのように言う人間も大勢いた。

でも君に問いたい。じゃあそこで言う成功ってなんだ？　世間から評価されることか？　もしくは一生遊んで暮らせる大金を得ることか？

じゃあ失敗ってなんだ？　やり方を間違えることか？　目標を達成できないことか？　無一文になることか？

たしかにＭＥＲＹは、あの成長の先に行くことはできなかった。大勢の人に迷惑をかけたかもしれないし、間違えてしまったところも多々あったのだと思う。反省すべき点はたくさんある。

しかし綾太郎はけっして、「失敗」なんてしていない。


陽のあたらない綾太郎の部屋を出て、オフィスへの帰り道を歩いているとき、僕は思った。もし綾太郎が次に何かやろうとするなら、それがどんなものであろうと僕はノールックで3億円投資しよう、と。

綾太郎が誰よりも事業を伸ばし、経営者としてありえないほど成長したことを僕は誰よりも知っているし、僕のまわりの人間もみな、彼への信頼や期待値は1ミリも変わらないと口をそろえていた。

前例も模範解答もないようなビジネスを生み出し、立ちはだかるいくつものハードルを仲間と共に越えて、さらに大きな挑戦に踏み出そうとしていた男。それが綾太郎だ。

そりゃ挑戦すれば失敗するし、間違えてしまうこともある。しかし、それを乗り越え、間違いをしっかり正し、さらに挑戦していくのが、起業家という人間だろう。

与信は、多数決なんかじゃない。

その人間に対する信頼の源泉というのは、世間の評判や経歴にあるのではなく、目の前のその人間のやってきた日々の行動にこそある。

綾太郎は、いちじくに満たされた陽のあたらない部屋にいながらも、少人数からの圧倒的で決定的な与信を得ていた。

そして1年が経った２０１８年、綾太郎は漫画を閉じ、いちじくに別れを告げ、ふたたび動きだした。

新たな事業会社「newn《ニューン》」を立ち上げ、身長１５５センチ以下の小柄女性向けのアパレルブランド「COHINA《コヒナ》」を1月に始動。２０１９年3月には颯爽《さっそう》と単月売上５０００万円を達成した。

他にも、チーズケーキを仲介業者や店舗を通さず直接顧客に届ける「Mr. CHEESECAKE《ミスターチーズケーキ》」や、誰でも気楽に楽しく音声配信ができる音声プラットフォーム「stand.fm《スタンドエフエム》」など、いくつもの事業をスタートさせ、エンジェル投資家として50社以上のベンチャーへの投資も行っている。

もちろん僕も、綾太郎の新たな挑戦に最大限の投資を行った。

僕は昔から、成功という言葉に明確なイメージを持っている。

成功とは、実はカネや名声なんかとは一切関係がない。成功とは、ひとことで言えば「挑戦し続ける」ことなんだ。

きわめてシンプルな考え方だろ?

どんなに大金や名声を得ていたとしても、挑戦をしていなかったり、挑戦を途中でやめて現状に満足してしまっている人間は、けっして成功者などではない。

どんなにつらい状況に陥っても、もしくは、どんなにもはやあえて挑戦する必要もないような状況になっても、ふたたび足を踏み出し、前を向いて、新たな挑戦を始めること。

綾太郎こそが、本当の「成功者」だ。

ハワイに豪邸を構え、アーリーリタイヤしている人間、事業や投資で一度大成功をおさめ、その後は守りに入ってたいして挑戦もしていないやつらは、ほんとうに口が悪くて申し訳ないが、僕から見ればただの「失敗者」なんだ。

人生のピーク年齢を安売りするな

この間、そこそこ成長した自分の会社を大企業に5億円くらいで売ろうと考えている27歳の起業家に出会った。よく聞いてみると、売却したあとも3年はその会社にいなければならない条件なのだという。

それでも5億で売れれば、みたいに言っているから、僕は忠告してあげたんだ。

「おまえは自分の脳のピークの3年間を、たった5億で売ってしまうのか！」と。

フィギュアスケート選手のピークが10代半ばから20歳前後の短期間であるのと同様、スタートアップの経営にも、明らかにピークというものが存在する。

それは、26歳くらいから30歳に達するまでの、たったの数年間だ。

ひとつのことを、それこそ4、5時間ぶっ続けで深く考えたりする能力というのはそこが頂点で、あとは徐々に衰《おとろ》えていくだけ。もちろん、勘所《かんどころ》をつかんだり複数のことを同時に考えたりする力は年齢や経験とともに上がることもあるが、脳の瞬発力と回転数だけは仕方ない。これはスキルなんかじゃなくて、努力じゃどうしようもない肉体の問題なんだ。

だから、人生で一度しか訪れないその貴重な時間、挑戦へのゴールデンタイムを、もしカネやちょっとした名声のために犠牲にするのだとしたら、そんなバカげたことはない。20代後半がピークだと知ってもなお同じ選択をするか、その彼には再考をうながした。

君は、ほんとうに「成功」がしたいの？　って。

「ご機嫌でいる」責任

少々キツいことを言っているように聞こえるかもしれないけれど、けっして真顔《まがお》で威圧的に言っているわけじゃない。

僕はいつもこういった台詞を、ニコニコしながら相手に伝えている。

僕のツイッターやフェイスブックの投稿も、能天気でちょっとバカに見えるくらい、底抜けに明るい（と自分では思っている）。

起業とかベンチャーと言うと、世間的には華やかに映るかもしれないが、起業なんて、タスクを切っていけば日々の仕事は死ぬほどルーティーンだし、新しいビジネスをつくるというのは、ハードで面倒臭くて面白くないことだらけだ。それでいて失敗する可能性のほうがはるかに高くて、やり方を間違えればすぐにみなから叩かれる。

でも、それらをぜんぶ超えて超楽しいことがあるよねっていうのが、起業であり、ベンチャーなのだと思う。

だったら、日々の大変なことも含めて、いつも楽しくいたほうがよくないだろうか？

僕は、ベンチャーに関わる人間には「ご機嫌でいる」責任があると思っている。これは、人生に対する態度にも近い。

つらい顔をしていようがニコニコしていようが、どうせしんどいことはしんどいんだから、だったら楽しい気持ちでやったほうがいいし、そのほうが成果も出るだろう。

いつもむずかしい顔をして、私はこんなに大変なんです！　みたいな雰囲気の人間がいると、その空気は伝染病のようにまわりに伝播《でんぱ》していき、しんどいことをしんどくやる萎縮集団が生まれるだけだ。そんなところから、新しいものやブレイクスルーなんて生まれるはずがない。

真剣ではあるべきだが、けっして深刻になってはいけない。

ピンチに陥ったときだって、「やっべー、俺、超ピンチじゃん。頑張ろ」くらいがちょうどいい。悲壮感を持てばあと5カ月で尽き果てる事業が6カ月に伸びるんだったらいくらでも悲壮感を持つが、そんなことはありえない。だったら、「あと5カ月もあるぞ!」って、自分起点で明るくしていくしかないじゃないか。

そもそも、ベンチャーの起業というのはほとんどの場合、他人の大事なお金を預かってやるものだ。それは僕らVCもまったく同じで、人様から大金を預かり、それを新産業を生み出す若者に投資し、その成長益の一部を報酬としてもらっている。

誰かから強制的にやれと言われて始めた仕事じゃない。自分から「僕がやりたいんです!」「だからお金を預けてください!」と言って始めた仕事だ。

それなのに、しかめっ面して「これ本当はやりたくないんですよね」みたいに言っていたら、出資者にもまわりの仲間にも、めちゃくちゃ失礼ではないだろうか。

だから僕は、けっこう強い責任感を持って、いつも能天気でいる。誰に対しても「こんな楽しい仕事ないと思いますよ」と言うし、ありえないくらいピンチのときも、みんなでケーキを囲んで、ゲラゲラ笑っている。

そうすると出資者の方に「いつも楽しそうですねー」なんて言われたりするが、そのときは「おかげさまで、楽しいです」と即答する。

逆に言うと、これをちゃんと言わないやつは嫌いなんだ。

僕らには、全力で楽しむ責任がある。

「起業家は太陽、ベンチャーキャピタリストは月」

「ベンチャーキャピタリストというのは、孤独な仕事だね。ダメなときは叩かれ、本当にいい仕事をしているときは誰も気づいてくれない」

太河さんに丁稚奉公しているとき、ふと太河さんが言った台詞を今でも僕はよく覚えている。

本当にそうだと思う。でも、それこそがベンチャーキャピタリストなんだ。誰かに褒《ほ》められたり認められたい人、自分がヒーローになりたいような人間に、この仕事は向いていないだろう。

僕がベンチャーキャピタリストとして常に大切にしているのは、「起業家は太陽、ベンチャーキャピタリストは月」という言葉だ。起業家が輝くとき、はじめて僕たちも輝ける。

主役でありヒーローは、常に挑戦者である起業家なんだ。

僕らベンチャーキャピタリストは、太陽がその輝きを放つために、できることのすべてをやる。

でもだからといって、実は投資家にできる仕事なんてそんなにない。

事業が伸びているときは、起業家も投資家もどんどんロジカルになっていき、戦略とか勝ち筋とか言い出すけど、結局その内容はどんな人間でもだいたい8、9割は同じで、将棋やチェスの定石《じょうせき》に近い世界だ。べつに僕でなく、他のベンチャーキャピタリストやコンサルタントでも、似たようなことをアドバイスするだろう。

ぶっちゃけ、AIでもできるんじゃないかと思っている。

それに、事業が急成長している最中の起業家に対してならなおのこと、ベンチャーキャピタリストができる仕事なんて、なんにもない。上場したUUUMの鎌田もラクスルの松本も、そしてMERYの綾太郎も、勝手に成長して勝手に成功していっただけで、投資家がお金を入れる以外にできた貢献なんて、ゼロ。皆無だ。

上昇気流に乗っている起業家の近くにいて、一緒に浮かび上がっているのが気持ちいいと勘違いしているだけで、飛んでいるのは起業家である。けっして投資家じゃない。

コインチェック事件

逆に、起業家が下降気流にハマってしまったとき、というより、「地獄」に突き落とされかけているときにこそ、ようやくベンチャーキャピタリストの役目が出てくる。

地獄とは、事業が止まる、資金が尽きる、経営陣が仲間割れする、裏切られる、不祥事を起こす、天災が起こるなどいろいろなパターンがあるが、要は最低最悪なときだ。

業界用語では「ハードシングス」なんて言ったりする。

そして、2018年1月。僕のこれまでの仕事でもっともハードな出来事が、投資先の仮想通貨ベンチャー「コインチェック」で起きた。

数百億円もの巨額が、一夜にして消えてなくなったのだ。

コインチェックの急成長は、MERYと同じく完全に僕の予想外だった。「これはすごく当たるかも」と期待していた事業がまるで伸びず、逆に「よくわからないけど頑張れよ」とか言っていた事業が爆速で成長したりするのがベンチャーで、本当に確率論の世界だと思う。

コインチェックの和田晃一良《わだこういちろう》は、20歳からプログラミングを学び、東京工業大学在学中に会社を立ち上げたプログラマー兼起業家だ。

21歳で、あの「ビリギャル」を世に送り出したストーリー投稿サイト「STORYS.JP《ストーリーズ》」を開発・リリースし、その後、23歳のときに、当時注目されつつあったビットコインの取引所をたった1カ月でつくり上げた。２０１４年8月のことだ。

投稿サイトをつくっていた人間が、唐突に金融のウェブサービスを手がける。僕は基本的にウェブサービスにはそこまで興味はないので、「なんかやってるなー」くらいにしか思っていなかったし、リリース後数年はまったくの鳴かず飛ばずで期待値も低かった。

それが、２０１７年に突如としてビットコインブームが巻き起こり、コインチェックは瞬く間に日本で最大級の取引高へと急成長していった。最盛期の取引高は月間で3兆円。ちょっと目を疑う、化け物のようなハイグロースである。

僕のこれまでの投資先でも前代未聞の数字で、これはいったいどこまで伸びるんだろうと思っていた矢先に、それは起きた。２０１８年1月26日の未明、サーバーが何者かによってハッキングされ、お客さんのお金が一瞬で盗まれたのだ。

翌朝から、マネックスグループの買収を受け入れ完全子会社化するまでの約2カ月間は、あり得ないくらいのピンチの連続であり、ハードシングスであったのは間違いないだろう。

和田晃一良、そして彼とタッグを組んで経営していたCOO（最高執行責任者）の大塚雄介《おおつかゆうすけ》は、その朝を境に犯罪者のように扱われ、26日深夜に開いた謝罪会見では記者から「責任取れ！」「どうなってるんだ！」「カネを返せ！」とふたりに怒号《どごう》が飛んだ。

会見は、文字通り誰かに「刺される」危険性もあったので、会社のある渋谷ではなく、セキュリティの高い東京証券取引所で行われた。

そして大株主であった僕は「佐俣アンリという投資家が事件の黒幕だ」と名指しで批判され、「ハッカーと共謀《きょうぼう》している」「逮捕しろ」とまで言われ、殺害予告や脅迫のメッセージが何通も届いた。

MERYのときも、綾太郎は犯罪者と罵られ、「フェラーリに乗って毎晩豪遊しているようなやつは死ね」みたいに言われたが、実は綾太郎は外車どころか免許すら持っていなかった。

もちろん豪遊もしていない。会社をDeNAに売却してからも、土日もずーっと会社にこもって仕事をしていた。

ベンチャーキャピタリストになるための条件

「コインチェック事件」は、セキュリティ体制の不備による盗難だと、メディアには指摘された。巨額ゆえに返済は到底不可能、利用規約を盾《たて》に取って補償はされない、などと見られていたが、コインチェックは事件2日後には補償することを決め、4月までには約460億円を顧客に返金した。

そして4月6日、経営の安定と顧客保護を徹底した経営戦略の見直しをはかるため、マネックスグループの傘下《さんか》に入ることが発表された。

盗難が起きるまでの状況に関しては反省すべき点がいっぱいあるが、起きた日からの行動は、おそらく100回やって1回できるかどうかレベルの行動だったと僕は思っている（ちなみに、盗んだ犯人はまだ捕まっていない）。

メディアからは「こんな会社は潰すべきだ」「仮想通貨は犯罪の温床《おんしょう》」などと徹底的にバッシングを受けた。いま会社を潰したら顧客の被害がより大きくなるのは目に見えている。それがわかっているはずなのにどうしてそんなことを言うんだろうかという不条理と戦いながら、世間に悪魔と呼ばれながら、でもやることをやるしかないという気持ちで、とんでもないピンチに全員で立ち向かった。

死ぬまでこれよりきついことはないかもしれないなと、正直思っているくらいだ。

これくらいの「修羅場《しゅらば》」になったとき、投資家の取る態度というのはきれいに3タイプに分かれる。

やり過ごすやつと、被害者ぶるやつと、一緒に地獄に落ちるやつだ。

いちばん多いのは、なんとかやり過ごそうとする投資家で、頑張って「空気」になろうとする。自分はほとんどノータッチで無関係だから、事が終わるまで傍観。投資先が不祥事を起こしたりしたら、世間に忘れられるまで無言でジッと待つタイプだ。

つぎに多いのは、被害者ぶる投資家だろう。このタイプは怒るからすぐわかる。「なんでこんなことになったんだ！　投資した金をどうしてくれる！」と慌ただしくオフィスにやってきて、被害者ヅラをして怒鳴りはじめる。

ちょっとは当事者意識があるという点において、空気になるやつよりはマシだろう。

そして最後は、地獄の投資家だ。起業家たちと一緒に修羅場と向き合い、そこが地獄だろうと一緒に落ちることができるタイプである。

僕が尊敬する大先輩のベンチャーキャピタリスト、村口和孝《むらぐちかずたか》さんはまさにこのタイプだ。村口さんはＤｅＮＡへのシード投資で伝説化している人物だが、創業者・南場智子《なんばともこ》さんのブログに出てくる創業時のエピソードで、僕が学生時代に読み、深く感銘《かんめい》を受けた修羅場にまつわる話がある。

南場さんは36歳で起業し、リクルートとソニー系列会社から多額の出資を受け、３社合同で「ビッダーズ」というネットオークションサービスを始めようとしたが、なんとリリースの1カ月前に、外注していたインドの会社がまだコードを1行も書いていないことが発覚したんだ。サービス開発の役割と責任はすべて、起業したばかりのDeNAが担っていた。想像するだけで胃が痛くなるような、大失敗だ。

この一大事に、幹部連中は全員逃げ出した。

しかし南場さんが誰もいなくなったオフィスを見渡すと、村口さんだけは逃げずにそこにいたという。南場さんが「村口さんは怖くないんですか？　逃げないんですか？」と聞いたところ、村口さんは座ったまま唸って、

「私も怖い」

とだけ答えた。そして彼はそこに居続けた。

ベンチャーキャピタリストの仕事はよく総合格闘技にたとえられる。経営やファイナンスの知識もビジネス経験も全部必要だからというのがその理由だが、僕はぶっちゃけ、そんな理屈や経験よりも、はるかに重要で唯一必要なものがあるんじゃない

かと思っている。

それは、「逃げない」ことだ。

友達がほんとうに大変なときに逃げずに助けようとするやつ、君のまわりや友達の中にもいたりするだろ？　そいつは間違いなく、ベンチャーキャピタリストになれる人間だ。

「友達を見捨てない」

そのマインドさえあれば、ファイナンスとか経営の知識なんていうものは、あとからどうとでも付けられる。逆に言うと、そのマインドがないと、どんなに頭が良くて理論武装していようが、ピンチのとき、圧倒的逆境のときにまるで役に立たない。

超優秀なやつほど、ロジックだけで状況を分析してしまう。そして「詰んだ」と思った瞬間にスッと戦意をなくして、めちゃくちゃ逃げ腰になるんだ。

そういう人間を、僕は間近で何人も見てきた。そしてそういう早々に諦めて「負けモード」をつくり出す人間の空気に影響されてしまい、ほんとうにみんなが「もうダメだ……」と負けていく場面を何度も見てきた。

でもほんとうは、そこから勝負が始まる。将棋や囲碁でもそうだが、盤面《ばんめん》が詰んでいるように見える状況から「生き筋」を見つけ、生き残るんだ。

コインチェック事件では、少し判断を誤ると即ゲームオーバーになるようなクリティカルな経営問題が、最初6個同時に来た。なんとかギリギリで潰すと、今度は新たな問題が12個また同時に襲ってきた。

地獄のような状況だが、でもＭＥＲＹのときよりははるかにマシだった。綾太郎やＭＥＲＹのみんなとは一緒に地獄を見られなかったが、こいつらとは共に地獄に沈んでいけるぞと思ったら、「やるしかねえぞ」とやる気があふれてきた。

修羅場では、そんな状況でも元気でいられるやつしか戦えない。投資家は明るくあるべきだし、起業家も悲壮感に沈んじゃダメだ。

社長が暗くなってどうする？　大変なときに会社の中で社長より元気になれる人間なんていないんだぞ。会社のメンバーに対する社長の責任として、ピンチのときこそ笑うんだ。

「大丈夫。うまくいくよ」

コインチェックの事件ではほんとうに死にそうになったが、コインチェックのみんなと明るくこのとんでもない危機に対処した。そして死地から戻ることができた。

もう怖いものなんて、ないだろう。

成長という「魔物」と、どうつき合うか？

世界史的に見てみると、この10年の間に起きたスタートアップの急成長というのは、かつての人類のビジネスには存在しなかった驚異的な伸び率である。

たとえば、商品やサービスのユーザー数が5000万人に達するまでのスピードを示した有名な図があるが、

「飛行機68年、自動車62年、電話50年、電気46年、クレジットカード28年、テレビ22年、ATM18年、コンピュータ14年、携帯電話12年、インターネット7年、iPod《アイポッド》4年、ユーチューブ4年、フェイスブック3年、ツイッター2年」

だ。

そしてポケモンGO《ゴー》は、「19日」である。


現在の世界を代表するベンチャー企業、ウーバーもWeWork《ウィーワーク》も、たった10年でありえないほどハイグロースしたが、しかし同時に、創業者のモラルも崩壊してしまった。ウーバー創業者のトラヴィス・カラニック、そしてWeWork創業者のアダム・ニューマンは数々の不祥事を起こし、世間から非難されても居直り続け、最終的には社長をクビになっている。

なぜ「世界を変える」などと夢を語っていた起業家が、表舞台を去ることになったのか。

それは、僕から見れば、「成長の魔物」に取り憑《つ》かれてしまったからである。

ベンチャーでは、狂ったように仕事をしないと成長し続けることは不可能に近いが、それ

によってほんとうに狂ってしまったんだ。それくらい、ハイグロースがもたらす自己肯定感というのは、強烈なんだ。

自分は圧倒的に正しいという万能感が、「だから自分は何をしてもいい」「イノベーションを起こしているのだから許される」といった傲慢《ごうまん》さを生み出す。

僕はかつて、とにかくベンチャーは伸びなきゃどうしようもないと考えていたが、同時に、この恐ろしい魔物とのつき合い方も徹底的に考えていかないといけないと思うようになった。よく不祥事が起きると、取締役会をもっとちゃんとやっておけばよかったとか、今後は外部からの監視機能を入れるべきだとか「形式の問題」になりがちだが、ウーバーだってWeWorkだって、世界トップレベルのガバナンス体制を敷《し》いていたはずである。

結局は経営陣の「心の問題」なんだと思う。

ダークサイドに堕《お》ちる起業家は、グロースしていきなりモラルを崩壊させるんじゃない。もともとモラルが低い人間の弱い部分が、傲慢になることで顕在化してくるだけなんだ。自分でも気づいていない「ほんとうの自分」が、大成功や大失敗といった極限状態のときに初めて見えてくる。

だから、まだ起業家が何者でもない創業期から、心の持ちようやモラルの持ち方というのをちゃんと指導していかなければならない。ベンチャーキャピタリストの仕事に「モラルの形成」というのはほとんど存在してこなかったが、この役割は今後さらに重要性を増していくだろうし、自分がその先陣を切っていかなければならないと思っている。

では実際に、ベンチャーキャピタリストとして何をするか？

専門家を呼んで、若者相手にモラル勉強会でも開くのか？

違う。やることは単純で、日々の生活のなかで見落とされがちな些細なモラルを、ちゃんと守らせるだけだ。ベーシックな倫理観を、徹底的に叩き込むだけだ。

僕はもともと、約束の時間を守らない人間やゴミを散らかしたままにするような人間が嫌いだが、僕らのアジト「good morning building」では、共有部にゴミが落ちていたら、投資先全社のSlackに写真を投稿して、めちゃくちゃ怒る。

こればかりは、ニコニコしていられない。

基本的に、遅刻やドタキャンをしたら二度と会わないし、トイレの便座を上げっぱなしにしていたら誰がやったか問い詰める。ホワイトボードは使ったらちゃんと消さないとダメだし、電気のつけっぱなしもありえない。自転車置き場に自転車を雑にとめるやつらも、ダメだ。

よく「天才の机は汚い」とか言う人間がいるが、そんなことを言うやつを僕は絶対に信じない。スタートアップ業界では「スーパーエンジニアは遅刻してもいい」みたいな風潮があるが、そんなのも大嘘だ。

天才の机は、いつも片づいている。

スーパーエンジニアだろうとインターンだろうと、誰もが定刻に椅子に座っている。

それができない人間は、そこの扉から静かに出ていってほしい。

DAY 5

成功論まとめ

- 挑戦し続けよう。
- いつもニコニコご機嫌でいよう。
- 友達が困っていたら、見捨てずに助けよう。
- ゴミはちゃんと捨てよう。

DAY 6 こんにちは先生、起業しませんか？

愛と情熱の投資パートナー

今日は課外講義だ。

ＡＮＲＩにおいて、もっともリスキーで、最高の決断だったことは、２０１６年、僕がひとりで運用していたファンドに、ひとりの男をパートナーとして迎え入れたことだ。

彼の名は、鮫島昌弘《さめしままさひろ》。

三菱商事、東京大学エッジキャピタルを経て、ＡＮＲＩに加わった。彼の仕事は、技術系スタートアップ（大学や研究機関の技術を中心とした研究開発系ベンチャー）への投資だ。

彼の採用がなぜリスキーだったのか。それはまず、技術系スタートアップはインターネット系（以下、ネット系）と異なり、成果が出るまでに非常に時間がかかり、投資が回収しにくいものだからだ。

技術系スタートアップへの投資をＡＮＲＩの投資案件の核のひとつとすることに、まず大きな判断が必要だった。

そして何よりもリスキーだったのは、彼には上場を果たすなど、いわゆる「大成功」と呼ばれるようなベンチャー投資を実現した経歴がなかったからだ。

それでも僕が彼を採用し、今も最高の決断だったと思っている理由は、彼の技術系スタートアップ、さらにはアカデミアの研究そのものへの絶え間ない愛と熱にある。

ANRIには鮫島が必要だって、心から思ったんだ。

とにかく最高のやつで、いつもゲラゲラ笑いながら、僕と毎日のように侃々諤々《かんかんがくがく》、切磋琢《せっさたく》磨《ま》している。

今日は、彼が普段どのようにして技術系への投資を行っているのか、そしてなぜベンチャーキャピタリストの道に進んだのか、その変態並みの愛と異常な熱量はどこからくるのかをちょっと君に話してもらおうと思って、ここに連れてきた。

VCの日常と、なすべき仕事が、また別の角度から見えてくるだろう。

ではさっそく課外講義を始めてもらおうか。

鮫島、頼むぞ。

アカデミアの壁を崩す

はい、こんにちは。

ANRIで主に技術系スタートアップへの投資を担当している、鮫島です。アンリとは1歳ちがい。今日は、わたしが実際にどのようにして投資先候補を見つけ、投資を行っているかをお話ししようと思います。

わたしがベンチャーキャピタリストとしてやっている仕事は、ひと言でいえば、「こんにちは先生、起業しませんか?」ですね。

調査を行い、面白い研究をしている先生の大学の研究室を訪問し、起業に誘う。先生の年齢層は、だいたい30代から40代。言ってみれば、「若手研究者のスカウト」がわたしの仕事になります。

ええと、口調が堅苦しいので、ちょっとくだけていいですか。

普段は大学で研究したり、授業中に居眠りしている大学生を相手に授業している先生のところに、突然、僕のような投資家がやってくる。

シュールな光景といえば、そうかもしれない。

でも、なんで研究者だからって投資家と会うのは変なんだろう？　グーグルやアップルの開発現場で活躍しているのはPh.D.（博士号《はくしごう》）を持つ人々だし、この世界には科学者が起業した会社が無数にある。

スタンフォード大学などの海外の大学では、大学の研究室からスタートアップが起業されるのはそれほど珍しいことではない。実は、投資家と研究者が会って起業の話をすることは、至って自然なことなんだ。

しかし日本では、そもそもアカデミアと一般社会の間には高い壁がある。

また、技術系スタートアップを起業する研究者も、いわゆる名誉教授クラスの大ベテランばかりという時期が長く続いた。

だからどことなく「技術を磨いていればいつか誰かが見てくれる」「アカデミアの研究者が自分で世の中に出ていくのは下品だ」といった、古風な風潮が今も根強い。

僕の使命は、投資家が研究者と会うことを、もっと自然なものにすること。

より多くの研究者が、起業をキャリアの選択肢のひとつとして選べるようにしていきたいと思っている。

最近は若手の研究者が起業して活発な動きをしているので、空気が変わり始めている気はする。ただ、起業の数はまだまだ全然、まったくもって足りていないのが現状なんだ。

では具体的に、どのようにして大学の研究室から技術系スタートアップが生まれていくのかを話していきたい。

「それ、ダウト――――!!」

ネット系のスタートアップだと、起業家を探すのはまず信頼できる起業家や投資家からの紹介が多い。たとえばアンリは、基本的には紹介以外では起業家には会わない。「大物の起業家や投資家の信頼を得られる」というのも起業家のスキルのひとつだと考えているからだろう。

一方で、僕のような技術系の場合はというと、やはりもっとも頼れるのは、信頼できる投資先の技術系企業からの「○○大学に面白い研究をしている先生がいるので、ぜひ会ってみてください」という紹介になる。

ただ、技術系の場合で特殊なのは、紹介のルートだけでなく、すでに世の中に出ている情報をつかって、投資先になり得るような「先生」「研究室」を投資家が自分で調査できる点にあるだろう。

調査とはつまり、「学術論文を読むこと」である。

論文を読みこなすには少し知識と慣れがいるが、基本的な情報収集の入り口はツイッターで十分。「日本の研究.com」や「科学技術振興機構」の公式アカウントが出している情報は欠かさずチェックするし、他にも要注目の若手研究者の個人アカウントや、研究系のまとめアカウント、海外の技術系ベンチャーキャピタリストもフォローしている。

そうしてネット経由でたどりついた論文は、毎日2時間くらいたっぷり時間をかけて読んでいく。まずはバーッと「アブストラクト（概要）」と「コンクルージョン（結論）」を読んで、興味深いものを見つけたら通して読み込んでいく感じだ。

海外でアップされたばかりの論文を読み出したら面白すぎて、徹夜気味になるようなこともよく起きる（海外の論文やプレスリリースは日本時間の夜中にアップされるため）。

論文を読んでいくのは、新規性と事業化見込みの高い研究を見つけるためだけではない。いかしな技術系スタートアップの存在に気づくためでもある。

サイエンスというのは、基本的には論文に最新情報がある。だから世界の論文やそれを基にした専門誌を読んでいけば、何が最新の研究で解明されたのか、もしくは解明のとば口が見つかったのか、また、何がまだ最新研究でも全然解明されていないのか、などがわかる。

それなのに世の中には、最新研究でもまだ解明されていないことや、実現されていないはずの技術を、さも可能であるかのように謳《うた》うスタートアップが存在する。

そうしたスタートアップのことを、僕は「ダウト」と呼んでいる。つまり、嘘っぱちだ。

そういうベンチャーがこっそり紛れているのが、スタートアップ業界の面白さであり、危うさでもあるだろう。

有名な例は、アメリカの「セラノス社」だ。

たった一滴の血液から数多くの病気の検査ができるテクノロジーを開発したとして、アメリカでもっとも有名なスタートアップに急成長したが、実はそんな技術は存在せず、その実態は大掛かりな詐欺であることが判明。会社は解散、起業家は起訴《きそ》された。

ここまでの例にはなかなかお目にかかれないが、大風呂敷を広げたり、ふかすことで資金調達しようとする会社はあとを絶たない。投資家には細心の注意が必要である。

僕は、日本にある技術系スタートアップであれば、どこがダウトかをかなりの高確率で言い当てられる自信がある。

たまにアンリから「○○社ってどうなのよ?」みたいに聞かれると、僕はすかさず、もしくは論文などを調べたうえで、「それ、ダウト――!!」と答えたりする（笑）。ゲームのダウトのノリだ。

しかし、たとえ嘘っぱちの会社であっても、やり方次第ではセラノス社のように多くの投資を集められてしまう。そして投資さえ集まれば、そのお金で大規模な研究開発ができ、本当に新事実を解明したり、新技術を開発してしまったりする。

そうしたら、その会社はさも最初から「それ」があったかのように振る舞えばいい。詐欺師的なダウトのスタートアップは、もはやダウトでなくなり、真実の成功企業になる。

そんなやり方は僕の哲学には100％反するが、これもまたスタートアップの事実であることは否定しない。

尿《にょう》でがんを層別化する

話を戻そう。

もし僕が調査の過程で「これは！」という面白い研究を見つけたら、次は何をするか？

実際にその研究室のドアを叩いて、研究者と会って、事業化を提案するんだ。

もちろん会いに行く前に、共通の知人がいないかどうかも確認する。いればつないでもらうが、いなければ仕方がない。直接、研究室にメールを送るしかない。

そして、ひとりで大学に乗り込んでいく。

アカデミックな匂いのする格式ある大学構内で、ドキドキしながら研究室のドアを叩く。

この瞬間が、たまらない。

研究者の先生と会って話すことは基本、ネット系のスタートアップとそんなには変わらないだろう。「大学のリリースを見ました。あなたの研究はとても面白いので、事業化しませんか?」ということを端的に話す。投資家として、なぜ面白いのか、なぜ事業化すべきかを具体的に話して起業を提案するわけだ。

たとえばIcaria《イカリア》という会社は、僕の「こんにちは先生、起業しませんか?」で生まれている。

２０１８年1月、僕は名古屋大学大学院工学研究科の、安井隆雄《やすいたかお》准教授の研究室に向かっていた。

この研究室で開発されていた技術は、尿検査でがんの早期診断を行うこと。血液が有用だと考えられていたがんの診断に尿を使うという視点が斬新だった。誰だって血液のほうが正確でちゃんとした情報があると考える。オシッコなんてカスみたいなものだと思ってしまう。

しかし尿には「マイクロＲＮＡ」という、がん診断に役立つ物質が含まれている。マイクロＲＮＡが、がん患者と健常者ではその発現が異なることを利用して診断を行おうという原理だ。

しかもこの診断は、ステージが非常に若いがんの早期発見すらも実現する。

実はマイクロＲＮＡががんの診断に有用だということは、論文も出ていて、研究者の間ではすでに話題になっていた。わかっているならばもっと多くの会社が取り組んでもおかしくない。実はそこにIcaria唯一の競争力がある。

人間のマイクロRNAは2000種類以上とも言われており、非常に種類が多く多機能だ。それゆえ、ひとつのマイクロRNAを分析したところで、がんとの因果関係はわからない。つまり、有用だとわかってはいるが、診断に活かすためのマイクロRNAの抽出《ちゅうしゅつ》技術、分析技術が確立されていなかったのだ。そこに取り組むことのできる可能性が、安井先生の研究室にはあった。

次に、この研究を事業化すべき理由は、「リキッドバイオプシー」と呼ばれる、国内外で投資が加熱している分野において、大きな市場を獲得できる可能性があるからである。

血液によるがんの早期診断では、アメリカのスタートアップ「GRAIL《グレイル》」が、ビル・ゲイツやジェフ・ベゾスらを含む投資家から、10億ドル以上を調達していることで知られている。尿検査で早期のがん診断ができれば、市場としても非常に大きい。侵襲《しんしゅう》（注射針などで生体を傷つけること）がある血液による診断より、手軽さと利便性において有利であるからだ。

起業3年目となる現在、Icariaは、がんの「層別化」にも取り組んでいる。層別化という言葉は聞きなれないかと思うが、要は、がんの細かい種類を判別すること。実はがんの薬というのは、効く人にはものすごく効くけれど、効かない人にはほとんど効かないという世界で、抗がん剤として有名なオプジーボも、たとえば肺がんでは約2割の人にしか効かないという。でも、目の前の患者がその「2割」なのかどうかというのは、これまで事前にはよくわからなかった。

そこでIcariaは、対象患者がどの薬が効く・効かないタイプなのかを事前に判別することができる技術を開発している。これが一般化すれば、的確な治療が行われ、無用な治療や副作用は圧倒的に減るし、医療費のコストも大幅に削減できる。

まさに、医療の未来をつくる事業である。

Icariaは2020年6月、ANRIの他、国内大手企業や米投資ファンドなどから数億円規模の資金調達を実行。また、世界のお手本となるような高齢化社会の実現に貢献したいという思いを込め、社名をIcariaから「Craif《クライフ》」に変更した。

社長候補は、愛こそすべて

研究者が事業化に興味があれば、次の僕の仕事は、社長候補を探すことだ。

「あれ？　研究者が社長になるんじゃないの？」と思うかもしれない。しかし大学の先生というのは、アカデミアで研究を行うことが使命であり、そのポストに就くために多大な努力をしてきている。それをあっさり辞めて、成功するかわからない事業にフルコミットすることはリスキーすぎる。

そこで、事業会社を経営してくれる別の社長候補を見つけ、先生は技術顧問兼共同創業者という形でコミットしてもらうのが一般的である。

この社長候補探しが、いちばん苦戦を強《し》いられる部分ではある。

理想を言えば、出自が理系で、技術系スタートアップで一度イグジットを経験していて、研究分野にも明るい起業家がいい。しかし今の日本では、そこまでの理想に適《かな》う人はなかなか探せないのが現実だろう。

僕が社長候補に求めるのは、たったひとつ。

愛だ。

「そこに愛はあるのかい?」などと言い出すと一気に年齢がバレてしまうが、実際そういうものだろう。愛さえあれば、仮にその社長候補が理系でなく技術系に明るくなくても、「ひとつ屋根の下」で経営ができる。

愛とは、言い換えると、自発的に技術のことを調べて経営判断をしていく素質があるかどうかである。たとえば、リキッドバイオプシーの会社で成功しているところはどんなところか、サービスはどんな内容かを調べたり、関連する論文を調べたりといったことだ。

基本的なことだけれど、愛は自発性に表れる。

なぜ自発性が重要かといえば、社長に自発性がなければ会社は自走できなくなるからだ。投資家が何もかも手取り足取り教えたり、お膳立《ぜんだ》てすると、研究者も社長も「つくられたものにのっかる」気分になってしまう。こうなると会社は自分で何かをつくりだす装置にはならない。

よって僕たち投資家は材料だけを提示し、あとは自分たちでつくってもらうようにすることを、常に心がけている。

愛は明確に行動に表れる。

愛のない人物は、いつまでもただ待っている。つまり投資家や研究者に言われるまでなかなか動かない。愛のある人物は、何も言わずとも自ら動いて、勝手に答えにたどりつく。

Icariaの場合は、三菱商事で働いていた経験を持ち、独立してからはサービス系のプロダクト開発をしていた起業家、小野瀬隆一《おのせりゅういち》に声をかけた。彼は理系でもなければ、技術系の会社を起業したこともない。しかしガッツと大きな愛があった。

こうして社長候補が見つかると、投資家は先生に会わせることはもちろん、飲み会を設定したりといった接待も行う。

晴れて「こいつなら託《たく》してもいい」と先生に思ってもらえれば、会社設立だ。

こうして、33歳の研究者と26歳の起業家が出会うことで、またひとつ、世の中を変えようとする技術系のスタートアップが一社、生まれ落ちた。

投資家としてとても嬉しい一日だ。

僕は、天才が天才的に活躍する社会をつくりたい

僕がなぜ技術系に特化したベンチャー投資をやっているのか、そして、なぜ若い研究者にわざわざ起業を勧めたりしているのかについて話そう。

僕がこの仕事を通して実現したいことは、語弊《ごへい》を恐れずに言えば、「天才を救う」ことなんだ。

そもそも僕は大学院の修士《しゅうし》課程で、将来研究者になるべく電波天文学を学んでいた。毎日無機質な研究室に閉じこもり、分析結果や論文とにらめっこする毎日。研究者として生きるのは、知の最先端と言えば聞こえはいいが、誰も知らない世界を探究し解明することであり、その現場は血のにじむような忍耐の連続である。

そこで僕が直面したのは、アカデミアにおける雇用の現実だった。

一般的にアカデミアにおいて職を得るための最初の関門となるのが、大学院の博士課程で研究室に所属し、博士号をとることである。

しかし、博士号をとったからといって、日本では必ずしも助手や助教などの地位が保証さ

れているわけではない。苦労して博士号をとっても安定したアカデミアのポストがない「ポスドク」が非常に多いのが現状だ。

博士号を持つ人々は、紛れもなく天才的な頭脳を持っている。

それなのに、なぜ優秀な人に居場所がないのか！

僕は修士課程の学生として、大いに疑問を感じていた。

そんなある日のことだ。気のいいポスドクの研究員の人が、ふっと僕の研究室からいなくなった。

失踪である。

想像してみてほしい。一流の大学や大学院に懸命に勉強して入ったのに、卒業後は、アカデミアから必要ないと突き放される現実を。働き盛りの30代でもまったくポストがなく、僕のような修士の学生と同じ研究室に出入りして、月給20〜30万円で暮らさなければならない。やる気だけで、生きろというのか？

まわりを見れば大手外資系銀行に就職した友人は立派な収入を得て家庭を持ち、マイホームを購入して幸せそうに生きている。

人が失踪するには十分なコンディションが整っている。

「なんだこれ？　おかしくないか？」

なんで天才的な頭脳を持つ人材が、いきなり失踪するようなブラックな仕組みに人生を台無しにされなければならないのか。僕は不憫《ふびん》でならなかった。

さらに自分のキャリアにも強い不安を覚えた僕は、アメリカに飛び、研究室を視察して回った。そこで目にしたのは、ドクターが社会的に高く評価され、多くの人が研究室から起業しているという事実、そして研究の世界とベンチャーキャピタルとの距離の近さだった。

たとえば、アップルのスティーブ・ジョブズが卒業式でスピーチをしたことで知られるスタンフォード大学に行ったときには、スカイプやテスラなどへの投資で知られるベンチャーキャピタリスト、ティム・ドレイパーが、Ph.D.を持つ人たち向けに寄付講座として「アントレプレナーシップ教育」を提供していた。

起業したいと思ったときに、すぐ近くに有名なＶＣがいるという環境が非常に斬新で驚きだった。

サバティカルのような起業しやすい休暇制度も普及している。有名な研究者が会社を何個も立ち上げ、シードとして数十億円を調達している……。

そういった光景を目の当たりにした僕は「日本には、優秀な研究者も際立った技術もたくさんある」「あとは天才たちの持つ技術がうまく社会に出ていく仕組みさえできれば、天才がちゃんと活躍できるようになるんじゃないか？」と考えるようになる。

そうして僕が選んだキャリアが、研究者になることではなく、ベンチャーキャピタリストとして研究者が社会に出ていくためのサポートをすること、つまり起業に誘うことだった。

とにかく僕は、世の中で天才が思いもよらない憂《う》き目に遭うことが我慢ならない。

たとえば2018年1月には、iPS細胞研究所で論文の捏造《ねつぞう》と改竄《かいざん》が発覚したことが発表された。この際の処分について、記者会見で山中伸弥《やまなかしんや》教授は自身の所長辞任をほのめかす発言をした。僕はこのときまた思ったわけだ。

「なんだこれ？　おかしくないか？」

山中教授が万が一、切腹的に責任をとって辞めてしまえば、日本のiPS細胞研究はそこで終わってしまうかもしれない。僕はすかさず山中教授の研究室のメールアドレスを調べ、「投資しますので起業しませんか？」と本気で誘った（山中教授からは丁寧なお断りのメールを頂いた）。

さらに、とある有名人がスキャンダルで世の中から抹殺《まっさつ》されそうになったときでさえも、僕は思ったわけだ。

「なんだこれ？　おかしくないか？」

僕が起こした行動というのは、その有名人のツイートに「#起業しろ」とハッシュタグをつけてリツイートすることだった。僕はべつにその有名人を擁護《ようご》したいわけではなく、からかいたいわけでもなく、きわめて優秀な人物が一度のミスや失敗で永遠に消えていくのはあり得ないと心の底から叫ぶベンチャーキャピタリストというだけなんだ。

僕にとって起業とは、この世界のすべての不条理に苦しむ天才たちが起死回生を図るための、究極の選択なのである。

こちら東大前、天才たちのたまり場

僕は、技術系スタートアップがより生まれやすくなるような環境をつくることにも、積極的に取り組んでいる。それが、東京大学の赤門《あかもん》前にある、技術系スタートアップのたまり場あらため「NestHongo《ネストホンゴウ》」である。

東大本郷《ほんごう》キャンパスの近くに拠点を構えたのは、この周辺はスタートアップのオフィスがあちこちに点在しているから。しかしお互いを知らないままでいることが多く、知識が共有されてこなかった。

たとえば、成功体験はもちろん失敗体験、さらには株式会社のつくりかたなどの知識は、できるだけ起業家が集まって循環している状態のほうが好ましい。そこで東大周辺で起業家が集まることのできる場所をつくりたいと考えて生まれたのが、この施設だった。

実はこれもスタンフォード大学をモデルにしている。

スタンフォード大学はシリコンバレーのど真ん中にあるため、周囲には大学公認のものや、民間のインキュベーション施設が点在している。

NestHongoは最初、古い雑居ビルにある元雀荘《ジャンそう》の狭いテナントからスタートした。最初に入ったメンバー（仮に1期生としておこう）は、3社。そのうち、センサーの無線通信技術を開発する「ソナス」は、3・5億円を調達して卒業。また、3Dネット試着サービスを開発した「Sapeet《サピート》」は、東大発のAIベンチャー、PKSHA Technology《パークシャテクノロジー》からM&Aを受け、さらにそのプロダクトの質に磨きをかけている。

もう少し広くて新しい場所を借りて入居中の現在の2期生には、Icariaの他、量子コンピュータを活用したソフトウェア開発の「QunaSys《キュナシス》」や、研究室の購買管理システムを開発する「Inner Resource《インナーリソース》」などがいるが、彼らも毎日東大の赤門を眺めながら爆速で成長中だ。

僕がNestHongoで実現したいのは、理系の優秀な学生に起業をもっと身近に感じてもらえる環境をつくることにある。たとえば修士の学生が、ある程度自分で研究開発した技術を持っていた場合、一般的に次のキャリアとして選ぶのは大企業の研究所か、大学に残るか、あるいは研究を捨てていわゆる文系就職するかという3パターンしかない。

そこに「自分でスタートアップを立ち上げる」という、第4の選択肢を自然に考えられるようになってほしい。

そのためには、まわりに起業で成功した先生や若手の起業家で「自分もあんなふうになりたい！」と思える人がいることが重要になってくる。

たとえば、ジクサクの川田さんなんかが近くにいると、自分もやってみたいと思えるはずだ。

「最難関だから挑む」なんて言う人間が隣にいたら、影響を受けないほうが難しいだろう。

研究者の成功がすぐ近くにある場所。

自分も挑戦してみたいと思えるようになる場所――。

もし日本の修士の学生の過半数が「起業します」なんて言うようになったら、最高に面白くないだろうか？

僕は天才たちの才能を少しでも大きく羽ばたかせるため、そして、日本の「技術」をもっと世界に広げていくために、今日も本郷に通う。

＃核融合で起業しろ

よくアンリと話していることだけど、技術系のスタートアップは、全体的にまだまだ経営者が未成熟な段階にある。

ネット系では、「エコシステム」と呼ばれる、スタートアップを起業からイグジットまで支援・サポートする仕組みができあがっており、一度上場を経験した人間がその知見をベースに新たなサービスを始めたりするなんてことは、特に珍しいことではなくなっている。2周目、3周目の経験者が、1周目の経営初心者を育てるような動きも、あちこちで起こっている。

しかし技術系スタートアップは、起業家がまだ1周目にあり、ネット系のようなエコシステムも生まれていない。この現実を考えながら、技術系に良い起業家が生まれ、成功し、経営者として成熟していくサイクルをつくることも、僕たちの大きな仕事のひとつだろう。

ただ、その状況になるには、まだ少し時間がかかりそうだ。

そこでいまANRIで考えているのは、技術系とネット系で経営者の成熟度に差があるのなら、いっそ「ドッキング」してしまえ、ということである。

どういうことか？

大学の研究者と、大成功して2周目、3周目のサイクルに入っているネット系の起業家たちを「結合」させるのである。

そもそも海外の起業家を見てみると、イーロン・マスクも、ネット系のペイパルで成功して、今はバリバリの技術系スタートアップ（テスラやスペースX）で電気自動車をつくったり宇宙ロケットを飛ばしているから面白いわけだ。

彼らは、事業や会社をつくるというより、技術を用いて「産業」自体を新たにつくり出そうとしている。僕がやりたいことも、まったく同じである。

新産業の創出――。

ネット系で成功した起業家が次の挑戦を技術系でやるという流れをつくることが、次の僕らの大きなチャレンジになる。

そもそも、巨大になりすぎてもはや次のフェイスブックやツイッターをつくるのがなかなか難しい今、ネット系だけで閉じていては、ブレイクスルーは起こせない。がらっと空気を変えてくれる起業家が望まれていることは、間違いないだろう。

よって僕はここで、たとえば、楽天の三木谷さんやサイバーエージェントの藤田さんらに、核融合で起業することを強くオススメする。

彼らは、インターネット系起業家の「神様」のような人たちである。そして核融合とは、太陽がエネルギーを生み出す原理であり、人類の次のエネルギー源としてもっとも大きな期待を集めている技術だ。論文も研究もたくさんあり、海外ではいくつかベンチャーも生まれ、すでに100億円近い資金調達を行った会社まで存在している。

もしこの「ドッキング」が実現すれば、現在の分立したネット系・技術系スタートアップの空気感は明らかに変わるだろう。

それどころじゃない。日本という国の見え方そのものも変わるかもしれない。

これはもはや、上場などといったスケールの話ではない。この太陽系第三惑星・地球における「維新」だと思う。

僕は鹿児島に生をうけた。僕の小学校には、倒幕や日本の夜明けに命をかけた西郷隆盛《さいごうたかもり》や大久保利通《おおくぼとしみち》らの肖像画が、共産主義国を彷彿《ほうふつ》とさせんばかりにあちこちに掲示されていた。

僕はＤＮＡレベルで維新に敏感なんだ。


ＩＴの成功者たちよ、＃核融合で起業しろ。


誰かが最初に大きな「旗」を立てさえすれば、それがチャレンジングな課題であればあるほど、そこに人もお金も集まるのだと思う。

中途半端な旗のもとには、誰も集結しない。世の中も変わらない。

この星に生まれたからには、新しい産業をつくって、みんなで人類の問題を解決しようじゃないか。

DAY 6

救国論まとめ

- アカデミアの天才たちよ、起業せよ。
- 技術を使って、この世に新しい産業をつくり出そう。

DAY 7

圧倒的な未来を、つくろう

あのときの「おめでとう」

2018年5月31日。

東京証券取引所の控室《ひかえしつ》で、僕たちふたりはがっしりと抱き合っていた。

取締役や、多くの社員が集まった周囲から、小さな拍手が巻き起こっていた。

おいおい、こんなに長い時間抱き合ってる場合じゃない、ちゃんとみなさんにおめでとうを言わなきゃ。でなきゃ、今日来た意味が——。

しかし気づくと、僕の心は東京の三田《みた》にある「ラーメン二郎」本店の前にあった。

夕飯を食っていたんだ。あれは大学を卒業して、リクルートにいた23歳の頃のことだ。

ラーメン二郎は、ガッツリ系ラーメンの代名詞であり、僕にとって青春の味でもある。なんといってもボート部で人間が消滅するレベルのエネルギーを毎日消費していたので、ラーメン二郎ぐらいのカロリーを摂《と》らないと追いつかないのだ。

体育会の頃を思い出しながら、日頃の仕事の悩みを頭から追い出すように二郎の極太麺で腹をいっぱいに満たして店を出ると、携帯が鳴った。

画面には「松本恭攝《やすかね》」の文字がある。

就活のインターンシップで一緒になって以来、親友になった男の名前だ。

多くの同級生が大手企業への就職ばかりを考えるなか、起業に関心を抱く、数少ない仲間だった。それと同時に、まだ起業には一歩を踏み出せない仲間でもあった。

そのときの恭攝との会話は、まるで写真のように、僕の人生のフィルムにしっかりと焼きつけられている。


——もしもし？

「よお、アンリ。元気？」

——おお、もちろん、元気、元気。ちょうど今も二郎食っててさ。

「あのさ、ちょっといいか？」

——うん、どうした？

「実は俺、会社辞めたんだ」

——へえ、それは……おめでとう。

「え？」

――いや、めでたいなーと思って。

「そうか、そうだよな。ありがとう」


俺、おめでとう……って言ったなあ。あのときも。


「俺さ、起業しようと思ってるんだ」

――おお、マジか。それはさらにおめでとう。


いつだっけな、「いや俺、超嬉しかったんだよ。あのとき、おめでとうって言ってくれたのは、アンリただひとりだけだった」って、恭攝が言ってくれたことがあった。

そりゃあ、慶應《けいおう》を出て、世の中リーマンショックの煽《あお》りを受けて景気が落ち込みまくってたあの時期に、外資系のコンサル企業を辞めて起業するって言ったら、誰も「おめでとう」なんて言わないよ。

「大丈夫なの？」って感じだろう。

さらに、あんな危機的な時代のなかで、学生の頃みたいに起業に夢中で、ベンチャーキャピタリストを目指していた無謀《むぼう》な人間も、僕だけだったそうだ。

この電話を境に、僕たちは親友から同志となり、ゆくゆくは投資家と起業家の関係になる。

２００９年、たった1年半で会社を辞めた恭攝はやがてラクスルという会社を起業し、その２年後、僕はたった２６００万円という日本で一番小さい規模のファンド（1号ファンド。現在は約4億円規模に）で、ひとりベンチャーキャピタルをスタートさせる。


恭攝と控室で抱き合って、東京証券取引所で上場を告げる儀式である打鐘《だしょう》が行われていても、僕は何度もこの回想にふけり、どこか「心ここにあらず」だった。

あまりに圧倒的だったんだ。

あの頃の、若さと熱以外に何もなかった自分たちが東京証券取引所にいることが。たどりついた未来が。

こんな最高な未来が、あったんだな。あの頃の僕たちの先に。

あの「おめでとう」から9年が経つ。

でも、いま考えても、やっぱり僕の中ではすべてがおめでとうだったよ、恭攝。

今日も心からおめでとう。おまえは最高の経営者になる男だ。

眼前では、恭攝はもちろん、社員全員がおおはしゃぎしていた。

学生時代からの親友が大成功するのを、一緒に祝う。個人の喜びとして、これ以上のものはないだろう。

これが、印刷業界に革命を起こしたラクスルが東京証券取引所マザーズに上場したときの、僕の記憶、圧倒的な〝未来の記憶〟だ（2019年8月には、マザーズから東証一部上場に）。

僕はこの記憶の中にある未来の感触を、今もずっと追いかけている。圧倒的な瞬間のためだけに、今を生きている。ひとりのベンチャーキャピタリストとして。

最終日の今日は君に、僕が行く、僕らが向かう、未来の話をしよう。少し長くなるかもしれないが、君の人生の未来にも直接関わってくる話だと思う。

「てっぺん」が……見えない

ラクスルの上場あたりから、僕が人生で決定的に見失ったものがある。

それは「てっぺん」だ。

僕はベンチャーキャピタリストとして、頂点を極めたいと願う男だ。ほどほどの満足で終わらず、成功の頂《いただき》へと登り詰めたい。しかし、登り詰めようとするたびに不気味なほどに見失うのが、てっぺんだ。

自分がベンチャーキャピタリストとして成功しはじめるまでは、「頂上は狙える！」と、少し楽観的に見ていた。つまり、どれくらい上場やM&Aなどのイグジットを行ったら、自分がどのクラスに行けて、どんな挑戦ができるといった見通しが、ある程度は明確だった。

しかし投資先が100社を超え、上場が4社、大きなM&Aが10社ほどのところに来たとき、逆にてっぺんが見えなくなってしまったのだ。

自分がより現実に近づいた、という見方もできるかもしれない。

これは登山の感覚に似ている。

山というのは遠くから見ていると、山頂が簡単に見通せる。しかし実際に登りはじめると、雲がかぶったりして、近づいているはずなのに、てっぺんと自分との距離がわからなくなるのだ。さらにすり減る体力がより一層、その距離に現実味を与えていく。

ベンチャーキャピタリストとして成功をおさめていくというのは、登山とまったく同じなのだ。体力は、当然のごとく資金力、つまりファンドのサイズだ。

奇妙なほどに、成功を重ねるほどにてっぺんが見えなくなっていく。ずっと頂を目指してきたし、よく見えていたはずなのに、登りはじめると得体の知れない大きなものに挑戦しているような気持ちになる。

そうして登っていて気づかされる。僕が登っているこの山は、孫正義という山だということに。

「正義山《まさよしざん》」は、近づくたびにその途方もない高さに愕然《がくぜん》とさせられる山だ。

彼がまだ、遠い世界の男だったらよかった。

「エベレストかあ」ぐらいに思える海外の名所、つまり自分と関係のない世界で活躍する人間だったらよかったのだ。

しかし彼は紛れもなく同業者であり、すでに伝えたように世界最強のベンチャーキャピタリストのひとりであり、会ってよく話す知人をひとり介《かい》せばたどりつくくらい、すぐそばにいる。

つまり世界最高の成功や仕事が、すぐに僕の耳に入ってくる距離にいるのだ。それらを聞くたびに、絶望的な気持ちになる。

たとえば現在の僕は、200億円規模のファンド（4号ファンド）をつくったばかりだ。日本一の独立系VCであるグロービス・キャピタル・パートナーズのファンドサイズが400億円であることからして、36歳の今、異常な挑戦をしている自負はある。

ワールドクラスのファンドにしか出資しない機関投資家からの投資も受けられるようになり、ゼロからつくった独立系VCとして、これまで誰もやってこなかったことを成し遂げてきているつもりだ。

しかし、孫正義のソフトバンク・ビジョン・ファンドの運用規模は、10兆円なのだ。

この規模から見れば、僕のファンドは、ソフトバンク・ビジョン・ファンドに生える産毛《うぶげ》程度ということになる。

おまけに、実質的に彼はひとりであのファンドを運用している。

「10兆円って、なんなんだ？」

正直なところ、ソフトバンク・ビジョン・ファンドの運用規模を知ったとき、ギャグのようなサイズに笑いが止まらなかった。それと同時に、麓《ふもと》から山頂にずっとかかっている重い雲を見つめているような、絶望的な気持ちになった。

ひょっとしてあの山頂は、こちらが歩いて近づくたびに、にょきにょき伸びて、より離れていくんじゃないか？

近づけば近づくほど、より遠くなる。てっぺんが見えないなかでも、登り続けなければならない。この一歩が、てっぺんに通じていると信じて。

自分が一番、挑戦している

少し不謹慎《ふきんしん》かもしれないが、僕は投資先の起業家たちをずらーっと頭の中に並べて、「挑戦しているやつランキング」をつけるのが日課だ。

おお、今はあいつが頑張ってるなーとか、恭攝は昔からダントツに挑戦してるなーとか、みんなスゴいやつらばかりで、本当に頭が下がる。

でも実は、自分自身もそのランキングに組み込んで、みんなと一緒に競争しているんだ。正直、3位以下に落ちたらヤバイと、常に危機感を持っている。起業家たちがありえないほどの挑戦をしているのに、投資家が現状に甘んじて椅子にふんぞりかえっていることなど、ありえない。

「俺が一番、挑戦している」

そう即答できるくらいでなければ、成長する起業家たちに本当の意味で正しい支援をすることなどできないだろう。

2018年、「正義山問題」に対処すべく、いったん僕は仕事をできるだけ止めて、これからとるべき戦略についてずっと考えていた。鮫島と何度も議論を重ねた。

そのときふと、孫正義が僕ならどうするだろうかと想像してみたんだ。

かつて孫正義は、こう言っていた。

「私は常に、自分自身を倒す方法を考え、それを実行している」

と。

ラクスルも上場し、独立系VCとして一応の大成功をおさめているANRIを自ら倒す方法は、いったい何か？　たとえば僕がまだ20代で、ANRIを超えるファンドをつくろうとしたら、いったい何をするか？

そこから導き出された結論は、1000億円という規模で変わらず「シード」に投資し続けるだけでなく、その会社をシードからレイターステージまで一貫して支援することで、大成功をおさめること――。

そんなファンドは、日本にはまだひとつも存在しない。

誰も知らない起業家の、名づけられてすらいない事業の、リリースすらしていないシードステージに特化しつつ、その先の成長までもカバーする、国内最大のファンドをつくる。

そして、ベンチャー起業家からも、ファンド出資者からも、ベンチャーキャピタルの筆頭《ひっとう》として名前が挙がる「トップファーム」になる。

鮫島とふたりでこの話をしていたとき、思わず顔がにやけてしまった。嬉しかったんだ、さらに挑戦できることが。しなければならないことが。

鮫島は言った。「めちゃくちゃ難易度高いけど、やる価値はある」。

――まずは、孫正義への挑戦権を手にするぞ。

ANRIの未来が決まった日だった。

履歴書からいかに過去の成功を消せるか

この挑戦を行うためには、ひとつ、決断しなければならないことがあった。

僕が、ベンチャーキャピタリストの「プレーヤー」であるのをやめることだ。

当時の僕は、100社ある投資先のうち、約70社を自分で担当していた。

この状況は、一般的なベンチャーキャピタリストの限界を4、5倍くらい超えていると言えるだろう。ドラゴンボールの界王拳《かいおうけん》みたいなものだ。普通は、ひとりで10社から15社程度が限界だ。

たしかに、これを「10倍」にすることはできるかもしれない。しかし、どんなに努力しても数十倍や100倍にはできないことは自明だ。残念ながら僕は悟空《ごくう》にはなれない。自分を超える才能を集めなければ、今のファンドの規模よりはるかに大きな挑戦をすることなど、絶対にできないだろう。

才能を集める自信はあった。独立したくてもできない環境にいる、現在の日本のベンチャーキャピタリストの現状を、僕はよく知っていたからだ。

ベンチャーキャピタルというものは、きわめて属人的なスキルとセンス、そして人脈が求められる仕事である。金融系のＶＣ（銀行や証券会社などのベンチャー投資部門）は、企業として名が通っていても、内情はたった数人のベンチャーキャピタリストの成果であることが少なくない。

そしてそのベンチャーキャピタリストは、１００億を２００億にするような、大きな成果をあげても、会社員としてせいぜいボーナスに数千万円もらえる程度だ。出世して部長とかにはなれるかもしれないが、所有株もゼロ。

これは到底、成し得た成功に見合った「リターン」とは言えないだろう。

もしファンドを自ら組成し成功すれば、ベンチャーキャピタリストとしてのリターンは、基本２割（これが業界のスタンダードである）。１００億のファンドを２００億にしたら、成果報酬は数千万どころじゃない、20億円にもなる（その逆に、ファンドで失敗したら、基本的に次はない。信用を失ってしまうからだ）。

もちろん、そんな現実について、ベンチャーキャピタリストたちはよく理解している。それでも彼らが独立しないのは、自分で資金を集めてファンドを組成することが難しいからだ。

彼らは、資金集めに困らず、成功に見合った報酬をもらえるのであれば、迷わずその道を選ぶ。より大きな報酬を手にし、自分の力を最大限に発揮して、成功をつかむことができるからだ。

そう、僕のファンドに、来ることで。

ベンチャーキャピタリストの仕事は、金融業じゃない。才能取扱業だと言った。ＡＮＲＩはこれから、起業家だけではなく、ベンチャーキャピタリストの才能も取り扱う。

僕のファンドでは、必ずベンチャーキャピタリストの成功に見合った対価を支払う。

自分で投資先を判断するのはもちろん、自分のファンドを組成することもできる。

僕の与信や人脈はいくらでも提供する。

さらに言えば、成功して、独立するのも自由だ。

一朝一夕《いっちょういっせき》にできる決断ではなかった。

この決断は、言ってみれば寿司職人を目指していた人間が、寿司をめったに握らなくなり、寿司屋の経営に専念することに近いからだ。

職人や選手ではなく、ベンチャーキャピタルの経営者になる。

ひとりでホームラン打ってます、といった仕事から、チームとして圧勝を目指す仕事へ。より大きな挑戦をするために、すべてを変える覚悟が必要だった。

これは、日本に新しい投資の仕組みをつくる起業家になることであり、投資先を成長させつつ、自分たちも成長していくチャレンジでもある。

UUMやラクスルの成功は、近い将来、僕の履歴欄《りれきらん》から消え去るだろう。

僕が挑戦者であるみんなと戦っているのは、いかに3年以上前のことがプロフィールに載らないか、いかに最新の戦果《せんか》でプロフィール欄が埋め尽くされるかの、レースでもあるんだ。

ベンチャーキャピタリストが国策をつくる

2009年にアメリカで設立された「アンドリーセン・ホロウィッツ」が凄まじかったのは、それまでせいぜい20人程度の少数で運営するのがあたりまえだったVCを、一気に200人規模に拡大したことだった。

ただ拡大したんじゃない。彼らは、マーケティングやブランディング、リーガル、バックオフィスなどの超一流メンバーを集め、投資先に資金提供だけでなくビジネス開発の全面支援も行うことで、ベンチャーを圧倒的に成長させるという手法を発明した。

要は、VCには投資の専門家しかいないのが当然だったのに、投資以外のバリューで勝負するという、まったく新しいゲームを始めたわけだ。そしてそのゲームで圧勝し、設立からたった数年でトップファームにまで登り詰めた。

彼らの影響で、今やアメリカのトップファンドはみんな100人くらいの規模になり、「どんな支援メニューをそろえられるか」の勝負になっている。

まさにゲームの種類を変えてしまった、ベンチャーキャピタルの破壊者だろう。

同様に、僕が敬愛するポール・グレアムらが設立した「Y Combinator」（通称「ワイコン」。2005年設立）も、偉大なゲームチェンジャーである。

彼らは、どうせベンチャーで成功するのは100分の1の確率なら、分母の「100」をガンガン生み出すことで、成功する「1」になる早で出会えるはずだと考えた。

そして、頭の良い学生たちを夏休みや冬休み期間に大量に集め、ブートキャンプ的にめちゃくちゃ集中させることで、たった3カ月でアイデアゼロから事業化まで持っていかせるという、離れ業をやり始めた。

要は、シリコンバレー最強のスタートアップ養成スクールであり、卒業生としてDropbox《ドロップボックス》やエアビーを世に送り出した。彼らは、「シードアクセラレーター（シード支援者）」という、まったく新しい仕事をつくってしまったのだ。

まるで、ある日突然ビートルズがこの世に現れたり、シド・ヴィシャスがパンクを生み出してしまったかのように、既存の世界に大きな衝撃を与えた。

超シビれる！　としか言いようがない。

僕らがやるべきことも、まったく同じだ。今のベンチャーシーンに、新しいスタンダードをつくっていくしかない。

そういう意味で、ＡＮＲＩが今後の一大テーマとして捉えているのは、「国策」である。

国の策と書いて、国策。

ちょっと真顔で言うと笑ってしまう、とてつもなく大きい話だ。

日本という国家の課題について考え、対策を練《ね》り、解決していくのは主に国の仕事であるが、これからはＶＣこそが、国策と密接に関わり合っていかなければならない。

もっとはっきり言えば、今までは永田町《ながたちょう》の官僚たちが国をつくってきたが、これからは渋谷のベンチャーキャピタリストたちが国をつくっていくのだ。

ちょっと中二病っぽく聞こえるかもしれないが、僕は本気でそう考えている。

たとえば僕らは今、量子コンピュータのベンチャー2社に投資をしているが、この2つの会社はどちらも、鮫島が大学の先生を口説《くど》いてゼロから設立した会社だ。

日本にはまだスタートアップになれるような量子コンピュータの会社なんて3つくらいしかないのに、そのうち2社を鮫島がつくっている。

同じく僕らは、サイバーセキュリティのベンチャーにも投資しているが、これらはこの分野が「これから来る」「儲かる!」というより、「日本の未来の大問題だからやる」といった感覚のほうが強い。

デジタル社会の10年後、20年後を見据えたとき、どう考えてもサイバーセキュリティの分野に人を増やさないと国防的にマズい状況になるが、現状はぜんぜんそうなってはいない。アメリカに人材が数万人いるというときに日本にはまだ警視庁に500人という、桁《けた》違いのコールドゲームである。

国や政府もそこに手をつけていきたいのはやまやまだが、複雑な事情が絡《から》み合って身動きが取れない状況にある。立場上、ひとつの分野に予算を集中させると依怙贔屓《えこひいき》と言われかねないから、バランスばかり取って、なかなか国主導では事業が進展していかない。

そこで、ベンチャーだ。

ベンチャーというのは、しがらみも過去も、業界内の暗黙のルールなんかもぜんぶ無視して、15年後の社会問題に向けて「直球で解《かい》を打ちにいく」ことができるゲームなんだ。

結局、国というのは、誰かがやってくれたり成功例を何かつくってくれれば、それを「引き上げる」のはけっこう得意で、産業育成はできる。その前段の産業開発は、ベンチャーやベンチャーキャピタリストがやればいい。

フィンテックなんかは今や国家主導の政策になってきているが、僕らの投資先であるheyなどのベンチャーは、「フィンテック」なんていう言葉が存在しない頃から、未来で確実に問題となる難題に挑戦してきた。

「フィンテック」などというワーディングが生まれてからでは遅い。

僕らは、常にワーディングを追い越していかなければならない。

「シェアリングエコノミー」とか「ギグエコノミー」とか「MaaS《マース》」なんてものは、僕らが全力で走った3、4年後に、なんとか総研とかコンサルのおじさんたちがその轍《わだち》を見て名づけただけで、僕らはそのワーディングを聞いて自分らが正しかったことを確信し、ただニヤッとするだけだ。

僕らは、課題がみんなに共有され、キーワードとして人口に膾炙《かいしゃ》するはるか以前から、未来に先回りして課題を解決しはじめる。そして、最初の成功例となり、国策に組み込まれて業界が生まれ、みなが参入して発展し、やがて真に課題が解決する。

未来の日本のために、投資をすること。

挑戦を国策に実装すること。

もはやこのレイヤーで仕事をするのは、一種の「業《ごう》」である。

可能不可能の話ではないし、面白い面白くないでもない。儲かる儲からないの話でもなく、単純に誰かがやらなければならないことだから、やる。

ここ、good morning buildingでは、政府やシンクタンクの出す資料を見て、日本はどうあるべきかという議論を重ねている。今日は、10年後に来るであろう介護離職の問題をどう解決すべきか話し合ってきた。

もはや国策の会議室だ。

新しい永田町の形、そして新しいVCの形は、きっとここにある。

国策と呼応するようにスタートアップが生まれ、社会をどんどんアップデートしていくんだ。

投資も寄付も、手段にすぎない

僕は、社会課題を解決するには、大きく2つの道があると思っている。スタートアップという「営利」の道と、NPOという「非営利」の道だ。

僕はひとりの投資家として、この両方の道を突き進みたいと思っている。スタートアップにはお金を「投資」し、NPOにはお金を「寄付」する。ビジネスにはなかなかできない「短期的には収益があがらない課題解決アプローチ」はNPOに託し、寄付というやり方で投資を行っている感覚だ。

まだ何者でもないたったひとりの人間の熱と行動で課題を解決していくというのは、スタートアップだろうがNPOだろうが、何も変わらないだろう。

僕は、世界中に落とし穴のように存在している社会の課題を、営利・非営利問わず仲間たちと共有し、解決に近づけていきたいんだ。

アプローチ方法は手段にすぎず、ただテーマに応じて最適なものを選べばいい。スタートアップで利益を出しながらやっていくほうが適していれば株式会社だし、寄付金を集めながらじっくり仕組みをつくりあげていくほうが適しているのなら非営利団体を選択するだけである。

こういった強い想いもあって、2016年に僕はツイッターで突如こう宣言した。

「これから毎年1000万円を、個人の財布からNPOに寄付し続けます」と。

これは当時の僕の資産状況だと、2年ちょっとで破産する計算だった。「ん？　こんな宣言しちゃったら死ぬぞ」みたいな感じだったが、もともと僕は大学時代からNPOが大好きで（『チェンジメーカー』という社会起業家の活躍を描いた本に感動し、大いに触発された）、お金があまりないのにガンガン寄付しちゃっていた「可処分寄付率」が異常に高い男だ。

言った以上、もう営利のファンドのほうでそれ以上の成果を出し続けないと、文字通り本当に破産して死ぬ。

自分を追い込むためにも、本気で寄付するためにも、あえて宣言したんだ。

こっちは本気なんだから、寄付する先にも本気を要求する。良いことやってるんだから組織とか事業はちょっと適当でも許されるよね、みたいな生ぬるいＮＰＯはお断りだ。

「寄付の１００円に、どれだけレバレッジを効かせられるか」といった投資適格を必ずチェックするし、ＮＰＯといえども人のお金で事業を行っているわけだから、事業レポートもしっかり書いて送ってもらう。

そうして年間１０００万円のお金で、ＮＰＯのメンバーには事業の「プロトタイプ」をつくってもらい、もしうまくいくようだったら僕も協力しながらさらに寄付金を集めたりお金を引っ張ってきたりして、事業を大きく拡大していく。

やることはベンチャー投資とそんなに変わらない。

そうして援助している事業は、「障害を持った子供の支援」だったり、「少年院に入った子の社会復帰」だったり、「虐待《ぎゃくたい》された子供のスクール」だったりする。必ず誰かが解決しなければならない、大きな社会課題だ。

僕は、ベンチャーキャピタルというのは、社会にインパクトを与えるための方法論を研究する「実験場」だと思っている。

ファンドに国策を実装するのも、個人でNPOに寄付するのも、社会課題解決のための一種の実験でもあるんだ。

僕が高校生に30万円を渡す理由

行き場のない熱と才能を持った高校生たちを応援する奨学金制度「MAKERS《メイカーズ》 UNIVER《ユニバー》-SITY《シティー》 U-18」をNPO法人のETIC.《エティック》さんと一緒につくっているのも、同じような理由である。実験のひとつであるし、とにもかくにも僕は、才能ある若くて熱いやつらを死ぬほど伸ばしたいんだ。

彼らがめちゃくちゃ成長することによって、死ぬほどリターンがある。そんなお金の使い方が、世の中でもっとも貴《とうと》いんじゃないだろうか？

だからもちろん返済不要だし、期待する見返りは、奨学金を受けた彼ら彼女らが近い将来、世界で活躍するその姿を僕らに見せること——たったそれだけだ。

第1回目では、僕は3人の高校生に30万円ずつ奨学金を渡した。

沖縄に住んでいる中国人とのハーフの高校生は、「僕は、今は信頼性の低い『メイド・イン・チャイナ』を、いつか世界一信頼のあるブランドにしたい！」と目をキラキラさせて語っていた。夏休みに、まだ行ったことのない中国に行って、現地を視察したいのだと。

僕は、まわりの大人たちからはなかなか理解されないであろう彼のその〝熱〟に、寄付という名の投資を行った。

「よし、この金を握りしめて今すぐ中国に行ってこい！」と。

他にも、プロ格闘家を目指して地方から上京している高校生にも、活動費として30万円を手渡した。すげえ頑張れよと思うし、彼らはまだ16歳とか17歳だけれど、基本的に大人より彼らの感覚のほうが正しいと思い続けるのが、ベンチャーキャピタリストの仕事だろう。

今は総額120万〜150万円（30万円を4、5人に）を毎年、高校生たちに寄付し続けている。

高校生にとっての30万円は、大人にとっての300万円みたいなものだ。ひとりたった数十万円で彼ら彼女らの「キラキラ」や「熱」、「才能」を援助できるんだったら、ものすごくコスパがいい。

高校生が出してきた「やりたい活動」「成し遂げたい未来」にお金を出すということは、大人が「君がやっていること、やろうとしていることは良い」と背中を押すことと同じだろう。

僕にとって「お金」とは何か？

信用の数値化とか鋳造《ちゅうぞう》された自由とか、世間には小難しい定義もあるが、僕にとってお金とは「君はすばらしい」「行ったれ、行ったれ」という、肯定や承認を含めたメッセージの一種なんだ。

「MAKERS UNIVERSITY U-18」には、全国から尖《とが》った子たちが集まってくる。そんな彼らを支援できるのはほんとうに楽しいし、やりがいがある。でも同時に、悩ましいなと思うこともある。

彼らのメンターを3年間やっているなかでショックなのは、彼らが毎年流す、涙なんだ。それは合宿の最中に必ず起きる、強烈な場面だ。

一日中、活動のブラッシュアップを一緒に話し合っていると、最後は「でも親が理解してくれなくて……」と言って、みんな夜に泣き出す。

彼ら彼女らはどう見ても若さと熱と才能にあふれた天才児たちなんだけれど、天才といえども子供である。「親」という壁は絶大で、それがリミッターとなってしまって、なかなか一歩を踏み出すことができない。

日本の若いやつらは、挑戦に躊躇《ちゅうちょ》してしまう。異様に優秀

これからの世代が、挑戦に躊躇してしまう。尻込みしてしまう。リミッターが作動してしまう。これは広く捉えると日本の課題でもあるかもしれないが、僕はベンチャーキャピタリストとしてそんな状況をどうにかして変えていきたいと思っている。

最近、ほんとうに「日本のタイムリミット」みたいな話をよく聞くようになった。

今はまだ先人たちの遺産で経済的にどうにか食いつないでいるが、このまま少子高齢化と低成長とデフレが進み、新しい産業も生まれていかなければ、この先10年、20年、そして50年が経ったとき、日本はいったいどうなってしまっているのか？

僕のまわりには、中国や東南アジアに投資を行っている投資家も多いが、彼らが口をそろえて言うのは、「もう日本のスタートアップは、中国には何も勝てない」ということだ。中国のスタートアップが日本に攻めてきていないから、おこぼれ的に日本のスタートアップは日本市場で生き残っているだけで、もし中国が本格的に進出してきたら、ぜんぶ駆逐《くちく》されてしまうだろう。それくらい、中国の新興会社と若者たちの能力は凄まじい、と。

たしかに、上海《シャンハイ》なんかに行くと、ITのあまりの進化ぶりに驚く。電子マネー決済があたりまえで、タクシーで現金やクレジットカードを使おうとすると嫌な顔をされるし、スーパーに行かずともアプリで頼めば食材がたった30分で家に届く。ここは近未来都市かと驚く。

中国のスタートアップには勝てないというセリフにもうなずけるが、でも本当にそうだろうか？　日本人は、もう中国人には勝てないのか？

僕の考えはまったく違う。

ダンゼン勝てるし、なんならシリコンバレーにも勝てると断言したい。

投資している起業家や、投資先企業の社員、good morning buildingに集まってくる人間など、僕のまわりにいる僕より下の世代のやつら、「Z世代」とも呼ばれている新世代は、ほんとうにもうめちゃくちゃ優秀だ。

生まれながらにITを使いこなすだけでなく、真面目で努力家で、きわめてロジカル。コミュニケーション能力も視座も高く、人間的にも良いやつ。基礎スペックが異様に高い。僕の実感だと、シリコンバレーにいる一般的な若者なんかより地頭《じあたま》ははるかに優秀で、中国人にもインド人にもぜんぜん引けを取らない。

実はシリコンバレーなんかが強いのは、人材が優秀だからなのではなく、ゲームを行うための「環境」が整っているからにすぎないんだ。

１９８０年代から「スタートアップ」という資本主義ゲームを始めていて、みんなもう何周もクリアしている。熟練のプレーヤーも神プレーヤーも大勢いて、若い新参者たちは彼らのサポートをフルに受けながら、ゲームを飛び級的に「初期設定レベル30」から始めることができる。ドラクエでいえば、いきなり重装備で中ボスの手前からプレイを始められる感じだ。

しかも「攻略本」なんかには、ラスボスと戦うまでの道筋も示されている。

一方の日本は、2000年前後からようやく本格的にゲームを始めて、一度か二度クリアした人がちらほらいる感じで、全体的にはまだまだレベル10くらい。スライムは簡単に倒せるが、ちょっと強い敵が出てくると、かなり手こずる段階だ。

これは業界用語で言えば、「エコシステム」がようやくできつつある状況だと言えるだろう。シリコンバレーはもう完璧にできあがって、成熟している。

要は、シリコンバレーという街全体が、2日目に僕が言った「いるだけで成功する正しい場所」になっているんだ。

とはいえ、悲観することなどまったくない。

単純に20年ほどプレイしはじめるのが遅かっただけで、けっして能力的に劣《おと》っているわけではないからだ。

新世代の基礎能力は異様に高いのだから、これから仕組みとマインドさえ変わっていけば、20年の差なんて一気に追いつける可能性がある。

何度でも言うが、僕は、若いやつらが勝手にめちゃくちゃ成長できるような「環境」を整えたい。仕組みとして新しいスタンダード、新しい方法論をつくっていきたいし、みんなのマインドも変えたくて、わざわざ君を呼んでこんな話をしている。


挑戦が怖いか？

それは、誰かに信じ込まされた錯覚なんじゃないか？


たしかに挑戦すれば、ほとんどのケースでうまくは行かないだろう。ダメだったらかなり凹《へこ》むし、プライドは傷つくし、お金もなくなってしまうかもしれない。親も悲しむだろう。

でもそれは「失敗」なんかじゃないことは、もう君ならわかっているはずだ。

僕は、何かを成し遂げようとする君の「熱」を肯定し、全力で応援する。今はただ若くて、何も持っていなくても、君らの世代に期待するんだ。

そして、成長した君たちが、圧倒的に新しい日本をつくっていく――。

「タイムリミット」なんて、誰にも言わせない。

ベンチャーキャピタルは「与信積みゲー」

そういえばちょうど昨日も、君ら世代の男の子が僕をたずねてやってきたから、1、2時間ほどアドバイスを行ったところだ。

そいつは21歳。いま、日本でいちばん若いベンチャーキャピタリストだ。まだ慶應大学の3年生ながら、独立系VCとして、1億円のファンドの運用を行っている。

まさに、期待の新世代だろう。

日経新聞にも「国内最年少VC誕生」ということで取り上げられ、彼はこう答えていた。

「起業している同世代は多いが、VCをめざしている人はほとんどいない。この分野でトップをめざせる」

そこで、トップの目指し方について、その道の先をゆく僕にアドバイスを求めてきたというわけだ。

僕は、成功するために何をすべきか、自分は登り詰めていくためにいったい何をやってきたか、包み隠さず、いま持っている情報のすべてを洗いざらい彼に伝えた。

トップを目指す、若くて熱い人間は大好きだ。何か参考になる話ができるなら、いくらでも時間をつくろう。

たとえば、もっとも時間を割いて彼に話したのは、「与信（信用）」についてだ。

結局、ベンチャーキャピタルというのは、運用益を競い合うゲームをやっているように見えて、実のところは「与信積みゲー」をやっているにすぎない。

ひとつひとつ誰かの信用を得て、積み上げていくゲーム。

その積み上がった与信の土台があるから、さらに大きなことに挑戦することができて、それを成功させることによって、さらなる大きな与信を積み上げる。

まるで雪だるまのように信用を大きくしていくことで、チャレンジの規模をデカくし、トップに近づいていく――。

ここのところがしっかり「見えて」いないと、絶対に大きな成功にまではたどりつけないだろう。

だからこそ、初動が大事なんだ。

僕は27歳でベンチャーキャピタルをひとりで始めるとき、いちばん重視したのが、「誰のお金を預かるか」ということだった。これは言葉を換えると、「誰の与信を取りにいくか」ということでもある。

1号ファンドを組むにあたって、お金を出してくれそうな人間や会社は、探せばいくらでもいた。でも僕は、固有名詞こそ出さないが、大成功していて、かつ人徳《じんとく》もある、ＩＴ業界の超キーマンだけをあたって、ただひたすら「あなたのお金を預からせてください！」とお願いして回ったんだ。

彼らとの人脈を得るために、太河さんのところで修業しているときは幹事役を買って出て、IT上場企業の社長らと若手起業家の合宿や飲み会の運営も毎回やってきた。泥臭い仕事だ。

ベンチャーキャピタルの仕事が、単純に「お金を増やすゲーム」だとしたら、べつに誰のお金だっていいし、金額は多ければ多いほどいいだろう。でも僕は、「お金を増やすことで与信を増やすゲーム」だと思っていたから、少額でもいいから、「キーマン（＝与信が高い人）」のお金を預かることにこだわった。

すると、「あの人」がお金を預けているならということで、信用が生まれて、他の人や会社もお金を預けてくれるようになった。悪い言い方をすれば、成功者の信用を借用《しゃくよう》しているような状態だが、27歳の新人に信用もクソもない。あるのは夢と熱だけだ。

熱意だけでゼロの自分を信じてもらい、なんとか頑張って成果をあげることで、そのかりそめの与信をホンモノの与信に変えていくしかない。

僕は、1号ファンドでＭＥＲＹやラクスル、ＵＵＵＭに投資を行い、ファンドとして成功をおさめたが、本当に成功したのは、雪だるまの「最初の玉」をしっかりつくれたことなんだと思う。

徳の高いキーマンたちの信用が得られたし、彼らからの「アンリに会わせたいやつがいるんだよ」という紹介によって、どんどん人脈も縁も広がっていく。8年が経ち、今は200億円の4号ファンドをつくっているが、やっていることはその最初の玉を坂道に転がして、ずっと膨《ふく》らませていっているだけだ。

そこらへんにいる、ただの20代の若者だった人間が、今では官僚や地方銀行の頭取《とうどり》、東南アジアの財閥《ざいばつ》オーナーらと会って話をするまでの与信を積み上げられたが、もし最初にちょっと筋の悪い人たちのお金を預かるところから始めていたり（筋の悪い人は筋の悪い人しか連れてこない）、成果をあげても自分に与信が積み上がらない仕組みのなかで努力していたら（たとえば、いくら成功しても上司の成果にされてしまう、など）、けっして今の自分のようにはなっていなかっただろう。

それだけは確信がある。

初動の良し悪しで、その先の勝負はある程度決まってしまうんだ。

だから、本当にトップを目指したいと思っているのなら、自分はいったいなんのゲームに参加しているのか正確に把握したうえで、勝負を始めるときから、成功までの道筋を丁寧に設計しなければならない。

けっして、何も考えずにただ努力したり、ラットレースにハマってはいけない。

大学生の彼には、そんな話をした。

「舐《な》めてるんだよ、おまえを」

はたから見ると、面倒見のいい「良い人」みたいに見えるかもしれないが、ぜんぜんそんなことはない。いつも僕は、若いやつらを死ぬほど挑発して、遊んでいるんだ。

彼には面談の最後、こんな台詞を吐いて、アドバイスを終えた。

「君はいろいろ頑張ってるつもりかもしれないけど、無意味な努力も多いし、今の俺のほうがはるかに頑張っている。

もともとこんなに差があるのに、この差は広がるばかりじゃないか。

俺は君に、持っているすべての情報、ノウハウも、数字も開示するし、なんでも教えてあげるけど、なんでそんなことするか、わかる？

舐めてるんだよ、おまえを。

俺が君に何も開示しなくなったら、それは君を本当のライバルだと認めた日だ。このままじゃ、絶対そんな日はおとずれないけどな」

その日の夜、彼からは「めちゃくちゃ悔しかったです」という健全なフェイスブックメッセージが届いたが、なんで僕はこんな挑発プレイをしているのか？

何度でも言うが、下の世代に期待しているからだ。

僕以上のチャレンジを平然とやってのけて、さっさと僕のポジションを脅《おびや》かしてほしい。

自分がいちばん「燃える」シチュエーションは何かと問われたら、僕は瞬時に、「何も持たない若いやつが自分を倒しに来る状況だ」と答えるだろう。

そんなシーンを思い描くだけで、最高にワクワクする。

ちょっと僕は、ジャンプ漫画に影響を受けすぎているのかもしれない（笑）。

僕が、彼と同様「ＶＣをめざしている人はほとんどいない」状況の20代で行った、もうひとつのゲームは、「未経験でも同世代にちゃんと投資すれば勝てる」というゲームだった。

今はちらほらいるが、８年前の当時、20代で独立系ＶＣをやっている人間なんて、皆無に等しかった。片手で数えられる程度だ。

ＩＴの起業家は20代が多いのに、彼らを支援するベンチャーキャピタリストは、言い方は悪いけれど、おじさんばかり。その「空白地帯」に、僕はチャンスを見出した。

つまり、同世代として起業家と仲間になって、一緒に成長していく。同世代の優秀な人間を片っ端から集めて、全員に投資していく。

僕がやったのは、単純に言えばそれだけだ。

ベンチャー投資なんて言うとちょっと小難しく聞こえるかもしれないが、やるべきことはきわめてシンプル。伸びている産業に、すばらしいやつらを配置する。もしくは、伸びている産業にいる、すばらしいやつらを信じる。

戦略や市場分析なんかも必要かもしれないが、当たる事業がどれかなんて正直ぜんぜんわからない。すでに話したように、MERYもコインチェックも、あんなに化けるなんて、事前にはまったく予想できなかった。

僕は事業ではなく、同世代の仲間である（中川）綾太郎《あやたろう》と（和田）晃一良《こういちろう》に投資したんだ。

「若くて・頭が良くて・頑張れる」人間が、ずっと右肩上がりで伸びている「IT」で勝負すれば、何度かは失敗するかもしれないが、どんどん成長して、いつかは成功するだろう。

もし自分が、大手金融のベンチャー投資部門だったら、「この事業に投資を行う妥当性は何か」、案件会議に提出する稟議書《りんぎしょ》を絶対に書くことができない。

だって理由はほとんど直感、「こいつ、なんかいい！　優秀!!」だけだったりするからだ。

「若くて頭が良いからです」でも、通らないだろう。

でもそれで投資できてしまうのが、ANRIの強みである。

そうやって同世代の優秀な人間を信じて、彼らが勝つことで自分も勝つ。こんなに最高に楽しいゲームをやってこられたのは、日本に20代のVCも独立系のVCも、圧倒的に少なかったからだろう。今も多少増えたとはいえ、まだぜんぜん足りない。

正直に言おう。

僕は、若い独立系VCという「ポジショニング」だけで勝ってきた、凡人の中の凡人だ。30代半ばになり、そろそろ「若さ」が使えなくなってきた今は、チームとしての強さを武器に、めちゃくちゃ若い20歳くらいの人間に投資しまくって、新しいゲームを始めようかと思っている。

でも同時に、そんな「おじさん」のやり方を全否定して、「20のやつは20とやったほうがいい。二十歳《はたち》同盟をつくるから、おっさんは出てくるな！」と僕に牙《きば》を剝《む》くような二十歳のVCが出てくることを、心待ちにしている。

そして出てきたら出てきたで、立ちはだかる「壁」として、彼らがやられていちばん嫌なことをやり続けて、丁寧に殺してあげるのが、彼らへの最大のリスペクトだと思っている。「アンリが邪魔」「どのルートに行ってもアンリがいる」と絶望を与えて、それでもなお、なんとか生き筋を見つけて出てくるやつが、ホンモノだろう。

2000年代以降、90年代までは存在すらあまり知られていなかったマッキンゼーなどのコンサル会社や、ゴールドマン・サックスといった外資系金融が、大学生の就職人気ランキングに突如入ってくるようになった。

2019年には、ソニー生命が全国の中高生1000人を対象に行った調査で、男子高校生の将来なりたい職業2位になんと「起業家」がランクインして、大きなニュースとなった。起業家なんてずっと圏外《けんがい》があたりまえで、2位になるなんて時代の変化を感じずにはいられない。しかも起業家と答えた割合は、複数回答可といえども、16・8パーセントに及ぶ。

僕は熱望しているんだ。

中・高・大学生のランキングの1位と2位が、「起業家」と「ベンチャーキャピタリスト」で埋め尽くされる日を。

夢想しているんだ。

若いベンチャーキャピタリストたちが増えることで、もっと熾烈《しれつ》でもっと健全な競争が巻き起こり、天下一武道会である「The Midas List」に、僕を含む日本人キャピタリストたちが列《れっ》することを。

そして、日本のベンチャー企業が世界を席巻《せっけん》することを。

10年来の友人・知人ばかりと顔を突き合わせなければならない日本の現在のＶＣ業界は、放っておけば必ず腐敗《ふはい》する。「この業界も殺伐《さつばつ》としてきたねえー」と笑えるくらいがちょうどいい。

天使だろうが堕《だ》天使だろうがかまわない。群れない人間、異端児、ちょっと頭がおかしいやつ、行動力だけのキワモノ、大いに歓迎だ。

僕は、自分を追い込むために、そして日本のために、ベンチャーキャピタリストを増やすベンチャーキャピタリストになりたいと願う。

永遠のカウンターカルチャー

そういえばこの間、オフィスでApple Musicを適当に流していたら、「うおおお、うおおおおおおー」って力任せに叫ぶ、ふざけた曲が流れてきたから、「なんだこりゃ?」と思って歌手名を見たら、「エレファントカシマシ」だった。

そして本当にびっくりしたんだ。

若い頃の曲だと思っていたら、これが、出したばっかりの新曲だったのだから……。

ボーカルの宮本浩次《みやもとひろじ》さん、54歳だよ?

最高じゃないか。

頭がちょっと、いかれている。
でも僕が考える「かっこいい」ってこういうことだなと、あらためて認識することができた。

僕は、そして僕らは、どんなに成功しようが、いくつ年齢を重ねようが、けっしてエスタブリッシュメントなんかにはならず、永遠のカウンターカルチャーでいつづける。

業界に鎮座《ちんざ》して、わかった風な顔で、「ベンチャー投資の成功の秘訣とは」なんて登壇しはじめたら、もうおしまいだ。バックグラウンドに隠れず、いつまでも最前線で挑戦し続けるし、宮本さんのように、ミック・ジャガーのように、じじいになっても熱に任せて叫び続ける。

200億円の4号ファンドをつくってから、まわりの見る目も扱いも明らかに変わった。それはそうだろう。独立系でいえば、日本でトップ5に入る規模になったのだから。

擦《す》り寄ってくる人間も増え、誘致みたいな話も来るようになった。

それと同時に、めちゃくちゃ「真っ当になれ」という磁力も働いてくるようになった。国のお金も、年金も、生保損保も、メガバンクも、大学基金のお金もぜんぶ入っているのだから、当然といえば当然だろう。もはや1号ファンドのようなIT成功者の個人マネーではなく、ほぼ公的機関だ。

だからこそ、僕らは決めたんだ。

けっして「お約束」みたいなことはやらない、と。

つまり僕らは、デカくなろうが、稟議フローはつくらない。

成功しようが、駅前の綺麗な最新のオフィスには引っ越さない。

人手が足りなくなろうが、履歴書がピカピカなだけの人の採用はしない。

プレッシャーが高まろうが、レイター投資のように確実性の高い投資もしない。

あとから追っかける人間が、勝算なんかを計算して、トップグループと均一なゲームをやってしまったら、もうそこが成長の天井だろう。

そりゃ、預かった200億円に利益をのせて返すのは正直ものすごく大変だ。ふつうに考えたら、「30億円くらいをまずレイター投資に充《あ》てて、2倍の60億円にして、3分の1返すのを見せた状態でやっていこう」みたいになる。

でもそんな計算可能なやり方をしても、「ミニグロービス」「劣化版ジャフコ」なんかができあがるだけで、上位に勝てる理由が1ミリもなくなってしまう。

負けないための戦いと、勝つための戦いは、まったく違う。

トップを目指す人間は、トップの人間を尊敬し愛するがゆえに、常に彼らの「アンチテーゼ」を叫び続けないといけない。

それは追うものの責任でもあると思っている。

それに結局、エスタブリッシュメントになっていく延長線上に、孫正義との勝負もないのだ。


ひきつづき僕らは、誰も知らない起業家の、名づけられてすらいない事業に突っ込んでいくし、「最難関だからやる」「人類の年表を動かす」みたいな、天才なのか詐欺師なのか見分けのつかない、ぶっとんだ人間を支援し続けていく。

僕らは、ちゃんとした金融機関から見たら、ちょっとバカみたいに見えるだろう。でも僕らは、金融機関っぽくなっていくのは嫌なんだ。

よりわけのわからないことを、よりゲラゲラ笑えることを、よりエモーショナルなことを、勢いだけで突っ走る。

僕らはカウンターのままデカくなる。初期衝動のまま、武道館を満席にする。

これはＡＮＲＩのスタイルであり、カルチャーであり、戦略でもあるんだ。

Just for Fun

さあ、君がその椅子に座ってから、1週間が経った。

あっという間だ。

なんとなく学校行ったり、みんなと同じようにバイトしたり、友達と街をフラついたりしていても、7日なんてすぐに過ぎ去るだろ？

でも人生も同じなんだ。ほんと、あっという間に過ぎる。

特に君のように「若者」でいられる時間なんて、一瞬で終わる。

だから、あらためて問いたい。


君に、熱はあるか？


もし〝何か〟が心の奥底に、静かに眠っていたりするのだったら、なんでもいい、それを全肯定して、まずは思いきりぶつけよう。

でも、さっきから「てっぺん」とか「挑戦」とか「武道館」とか暑苦しいことばっかり言っているから、ちょっと構えてしまったかもしれない。

挑戦を強いられているように、感じてしまっているかもしれない。

あまりかたく考えるな。リラックスしてほしい。

「挑戦」と言うと、すぐ、歯を食いしばってひとりで孤独に努力する、悲壮感漂《ただよ》うイメージを思い浮かべてしまうが、僕のイメージはまるで違う。

みんなでゲラゲラ笑い合いながら何かに熱中していたら、いつの間にかみんなでまだ見ぬ最高の場所にまでたどりついている――。

それが、挑戦だ。

挑戦なんて、みんなで、楽観的に、笑いながらやるもんだ。

そしてもし失敗したとしても、「よっしゃ、もう一回やるか」と、べつに「這い上がる」のでも「再起する」のでもなく、フラットにただ新たにスタートを切る。

それが、これからの時代の挑戦のテンションであり、そこには悲壮感やしかめっ面は必要ない。

これからは、挑戦にヒロイックなストーリーや動機も不要だ。

昭和の起業家には、「家が貧乏だった」とか「親や社会に虐《しいた》げられた」とか、「こんな出来事に苦しんできたから」といった、不幸やコンプレックスを内発的動機やモチベーションにする人間が多い。

事業を「つらさ」からスタートさせて、そのマイナスをなくすことでみんなを幸せにしようというやり方で、わかりやすいし受け入れられやすいが、「もうそういう『不幸背負い合戦』って、いらなくないか？」と正直僕は思っている。

だって、どう考えたって、ザッカーバーグに不幸もコンプレックスもないぞ？

お金持ちの息子で、ハーバードに入る頭の良さを持っていて、超良いやつ。

彼はただポジティブに、「世の中にこういうのがあったほうがいいよね？　そのほうが楽しいよね？」といった感覚で、サービスをつくっている。

僕のまわりにいる若い起業家たちも、単純に楽しそうだからやっている人間が大多数だ。

そして僕も、ただ「勝つ」のが好きで楽しいから、こんなことをやり続けている。

Just for Fun.

（ジャスト・フォー・ファン／ただ、楽しみのために）

これは、僕の妻の会社、コイニー社と、ストアーズ・ドット・ジェーピー社が経営統合して生まれた「事業持株会社hey」の社是《しゃぜ》であり経営理念だが、そこには以下のような想いが込められている。

少し長いが、投資先のメッセージで一番好きなもののひとつだから、ぜひ引用したい。

小さな部屋でつくりはじめたリーナス・トーバルズはこう言った。
世界にとってなくてはならないソフトウェアであるLinux《リナックス》を
社会のことなんて考えていないよ。」
「ただ、自分が楽しかっただけなんだ。

そう、小さくたって、壮大なビジョンがなくたって、
楽しいことを追求することができれば、
その小さな熱狂がいつかは人を巻き込み、
ひとりひとりに楽しさをもたらすことができるのだ。

そして、進化するテクノロジーやインターネットのおかげで、
その可能性はどんどん広がっている。

何かを始めるのに、大きくなくてもいい。
何かを満たすことは、たくさんでなくてもいい。
何かを成し遂げることは、どこでだっていい。

今や、ひとの創造力を掻《か》き立て、
経済のありかたまでをも変えていく原動力は、
それが「楽しい」かどうかなのだ。

作り手と受け手、生産者と消費者、クリエイターとファン。
わたしたちは、あらゆる障壁や
分断を取り払うツールを提供し、
あらゆる機会へのアクセスをつくりだしたい。

本当に楽しいと思えるモノやコトが、
本当に必要としている人たちをつないでゆき、
ひとりひとりにとって居心地の良い豊かな世の中へ。

すべては「楽しい」からはじまる。

Just for Fun.

僕が君に最後に伝えたいことは、ここに詰まっている。

ただ、自分が楽しみたいことを楽しめばいい。

過去なんかにとらわれず、ただ未来だけを見ればいい。

今はもう、「面白かったからやっちゃったんだよね」だけで挑戦していい時代なんだ。

本当に大切なことを「1つだけ」やろう

これから君の未来に訪れるのは、「挑戦の費用対効果」が高い時代でもあるだろう。

ギリギリ僕くらいの世代までは、大企業とかにずっと「いる」ことのほうが、コスパは圧倒的に良かった。

所属しているだけで、大した成果をあげなくても、成長していなくても、昇進も給料もボーナスも退職金もある程度保証されていたが、いよいよこれまでの仕組みが悲鳴をあげ、ありとあらゆるところで負の側面が噴出してきている。

ただ「いる」だけ、ただ「前例を踏襲《とうしゅう》する」だけで得られていたリターンは、年々小さくなっていくだろう。

費用対効果が高いとは、けっして言えなくなってきた。


一方で、起業にしろなんにしろ、挑戦することの費用や精神的なハードルは、年々下がってきている。買えないものはシェアすればいいし、お金がないならクラウドファンディングを使ったっていい。もはや大学生起業家なんて何も珍しくなく、あらゆるチャレンジがＳＮＳで共有されている時代だ。

こういった流れは、もっともっと加速していくだろう。

ハイリスク・ハイリターンだった挑戦のリスクはどんどん下がり、リターンは相変わらず高いままだ。

だから言おう。


君は、安心して好きな道をゆけ。

べつに、むりやり無謀な挑戦をしろと言っているんじゃない。

「やりたい」「やったほうが楽しそう」と思うことがあればやったほうがいい時代になってきている、という時代感覚だけは、しっかりつかんでおいたほうがいいということだ。

そこには使命感も気負いも、何もいらない。

コスパが良さそうなんで挑戦しました、でもいいんだ。

もしベンチャーキャピタリストが楽しそうだと感じたら、やってみたらいい。何度でも言うが、ライバルは大歓迎だ。

そんな安易な動機だけでベンチャーキャピタリストになるなと眉《まゆ》を顰《ひそ》める先輩たちは、どこの業界にも絶対にいる。あなたは成功したからそんなことが言えるんだとか、無責任に煽るなとか、人がやる前から怖気《おじけ》づかせようとする人間ばかりだ。「土台をつくってから挑戦しろ」とかさ。

でも僕はけっして、そういう大人じゃない。

そんな大人たちの正論や戯《ざ》れ言《ごと》は、話半分に聞いておけばいい。

「若いうちはどんどん失敗しよう。いくらでもやり直せる」みたいな、失敗を前提にしたおじさんの常套句《じょうとうく》も大嫌いだ。僕の感覚はむしろ逆で、「君はどうせ成功するんだから、早く挑戦して早く成功したほうがよくないか?」だ。

だって、早く成功したほうが、その次の挑戦に早く行けるだろ？　どうせ成功してもまた挑戦するんだから、そのサイクルは早いほうが遠くまで行けるじゃないか。

僕はずっとこんなノリで生きているから、毎日がとても楽しい。

成功するのと次の挑戦が、大前提なんだ。


でも真面目な話、世の中には勉強とか修業とか準備とか、「やったほうがいいこと」は無限にあるけれど、ほんとうに目指すべきゴールから逆算して「今やらなければいけないこと」というのは、実はものすごく少ない。

これに気づく人と気づかない人の差は、大きい。

人生が変わるくらい、バカでかい。

右も左も、「今やらなければいけないこと」を後回しにして「やったほうがいいこと」で毎日を埋めている人ばかりだ。そして、ほんとうはもっと成長も成功もできたのに、やらなければいけないことを後回しにしたことで、ちっちゃい成功しかできなかった人間が、自分の現状を正当化するために偉そうに吐《は》く「アドバイス」であふれている。

性格が良い人間ほどそういったアドバイスを真に受け、若い時期をあまり意味のない努力に費やしてしまうが、勉強も修業も準備も、そんなもの永遠に終わりなんて来ないぞ。

いったい君は、なんのスタンプラリーをしているんだ？

僕はいつもだいたい、若い人間が言ってくる「ＴＯ ＤＯリスト」に片っ端から赤ペンでバツ印をつけて、ほんとうに今この瞬間にやるべきことを1つだけ残す。

この間も、将来ブラジルでファンドをつくるのが夢だという20代が来たが、「まず日本で実績をつくってから」とか「ＭＢＡも取っておきたい」とか言っているから、「今すぐブラジルに行って、君の夢に対してお金を出したいっていう人と、投資してほしいっていう人の２つを見つければ、終わりじゃない？　なんで、今やらなければならないシンプルなことを今やらないの？」

と僕は答えた。

そいつは「うわあー」っていう、まるで苦虫《にがむし》を嚙《か》み潰したような顔をして僕の話を無言で聞いていたが、僕はそういった顔を見るのが大好きなんだ。

たしかに、実績をあげてから行ったほうが、交渉やプレゼンは多少しやすくなるだろう。でも、そんなことをやっている間に5年は過ぎ去ってしまう。その5年間という20代の時間より、交渉のしやすさのほうがほんとうに価値があると思うなら、好きにすればいい。

僕も、いろんな筋のいい先輩たちに、良いハッパをかけられながらここまで来ることができた。とても感謝している。もはや今は、僕もハッパをかける側の人間だ。これからの挑戦者たちに、そして常に自分自身に対しても——。

だから、くり返す。


他人が無責任に語る「やったほうがいいこと」に、人生を侵食されてはいけない。

とっとと最短距離で一点突破して、君の人生をスタートアップさせろ。


さあ、もういいかげん、話はこれくらいにしようか。時間が完全にオーバーしてしまった。話し足りないこともあるが、これで終えようと思う。

5分後に面談の予定が入っているんだ。

今日来る人間は、世界を転戦している18歳のプロRCカーレーサー。僕は、彼の「熱」に投資しようと思っている。


さ、早く立って、そこの扉から渋谷の街に出て行ってくれ。

外は、どんな世界が広がっている?

どんな景色でもいいが、そこにあるのはただひとつ。

圧倒的な、未来だ――。

佐俣《さまた》アンリ

ベンチャーキャピタリスト

1984年生まれ。慶應義塾大学卒業後、カバン持ちとして飛び込んだEastVenturesを経て、2012年に27歳でベンチャーキャピタル「ANRI」を設立し、代表パートナーに就任。主にインターネットとディープテック領域の約120社に投資している。VCの頂点をめざし、シードファンドとして日本最大となる300億円のファンドを運営中。本書が初の著作となる。ツイッターは @Anrit

SPECIAL THANKS :

鮫島昌弘（DAY6）&
ANRIを構成する全ての出資者、
投資先起業家、
そしてANRIチーム

anri

僕は君の「熱」に投資しよう
――ベンチャーキャピタリストが挑発する7日間の特別講義

2020年8月5日　第1刷発行
2020年8月27日　第2刷発行

著　者――佐俣アンリ
発行所――ダイヤモンド社
〒150-8409　東京都渋谷区神宮前6-12-17
https://www.diamond.co.jp/
電話／03･5778･7233（編集）　03･5778･7240（販売）
装丁――タカヤ・オオタ（kern inc.）
ライティング―森旭彦
校閲――鷗来堂
製作進行――ダイヤモンド・グラフィック社
印刷――信毎書籍印刷（本文）・新藤慶昌堂（カバー）
製本――ブックアート
編集担当――今泉憲志／柿内芳文（STOKE）

ISBN 978-4-478-10870-3